光文社文庫

社長の器

高杉　良

KOBUNSHA

光　文　社

目次——社長の器

第一章　社長急逝

1

　夜八時過ぎに玄関のインターホンが鳴った。

「先生ただいまお帰りになりました」

　いくらかしゃがれ気味な林の声である。

　林聡《さとし》は、高原高望《たかはらたかもち》が代議士に当選する以前から専用運転手を務めていた。四十四、五歳の実直な男である。

　正子《まさこ》は、厨房《ちゅうぼう》で食事の仕度をしていたが、ガスレンジの火を消して、玄関へ飛んで行った。正子が出迎えなければ、高望は絶対に靴を脱ごうとしないのである。

　しかも笑顔を忘れてはならなかった。

「お帰りなさい」

「うん」

いつもなら笑顔を返してくるのに、今夜は不機嫌そうに短く答えただけだった。

高望は、靴を脱ぐときに少しよろけ、背後から林に支えられた。

「あなた！」

正子があわてて手を貸そうとすると、高望は手を振った。

「大丈夫だ」

「奥さま、先生はひどくお疲れのご様子です。議員団総会を中座したほどですから」

林が小声で正子に告げた。

高望は、朝から元気がなかった。健啖家《けんたんか》で時間をかけて朝食を摂《と》らなければ気が済まないほうだが、大根の味噌汁を一杯飲んだきりで、ほとんど食べ残してしまったのだ。

「どうしても登院しなければいけませんか」

「うん。きょうは開会式だからな。天皇陛下がご臨席くださるのに、休むわけにはいかんじゃないか」

「それでしたら、もう少し食べなければ……」

「昼にうな重を食べて、取り返すさ」

食卓でのそんなやりとりを思い出して、正子は林に訊いた。

「お昼はどうでした」

「秘書のかたたちと〝伊豆栄〟でうな重をめしあがりましたが、先生はほとんど……」

「林君、心配しなくていいぞ。ちょっと疲れてるだけだ」

高望にさえぎられて、林は口をつぐんだが、心配でならないと言いたげに正子に眼で訴えている。

この日、高望は朝九時過ぎに登院し、九時二十分から行なわれた国会対策委員会に出席、十一時からの国会開会式、正午からの議員運営委員会、一時からの本会議、二時四十分からの公職選挙法対策特別委員会、四時からの同理事会と院内におけるすべてのスケジュールを消化したあとで、夕方五時から紀尾井町《きおいちょう》の海運倶楽部で開催された社民党の議員団総会に出席した。

前日の一月二十五日は日曜日だったが、三つの後援会の賀詞交換会に顔を出し、鎌倉扇《おうぎ》ガ谷《やつ》の自邸に帰ったのは深夜だった。

五十歳の若さにものをいわせて、年末年始の挨拶回りを精力的にこなし、元旦の宮内庁主催の〝新年祝賀の儀〟に出席して以来、家にじっとしていた日は一日とてなかったが、二十七日、二十八日の両日は正子の意見を素直に受け容れ、高望は休養を取った。

こんなことはついぞなかったことである。

もっとも、家でじっとしていられる高望ではなかった。

高望は、自動車部品メーカー、啓発社製作所の代表取締役社長でもあったが、会社関係の書類を読むだけでも二日ぐらいは退屈することはないし、久しぶりにピアノに向かう時間ももてた。

一階のリビングルームにグランドピアノが置いてあるが、妻の正子も娘の佳子《けいこ》もたしなむ程度なのに、高望のそれは二人に一目も二目も置かせるものであった。

身長一メートル五十九センチ、体重七十五キロの体型とピアノのイメージは重なりにくいが「パパのおもちゃ」と子供たちにからかわれながらも、高望にとってピアノの前は、休息の場所でもあったから、つとめて弾くようにしていた。

丸一日完全休養したお陰で高望は、二日目は躰《からだ》の気だるさが取れ、ピアノに向かう気になり、昼食後、妻に〝トセリのセレナーデ〟を聴かせた。

弾き終わって、ソファの正子から盛大な拍手を浴びて、高望はまんざらでもなさそうだった。

「まああっていうところか。一ヵ所間違えたが、気がついた？」

「いいえ。素晴らしかったわ」

「ママ、代らないか」

高望はピアノを離れ、正子に並びかけた。

「佳的《けいてき》のやつ、英会話にとりつかれちゃってぜんぜん弾いてないようだなあ」

佳的とは佳子のことだ。佳子は二年前に日本女子大の英文科を卒業した。在学中に英検一級の資格を取得したが、それにあきたらず同時通訳を目指して、英語学校に通学している。

高原家は四人家族で、長男の望《のぞむ》は慶応大学経済学部の二年生だ。

「佳子は、パパに似て負けず嫌いで勉強が好きなんです」

「男の子に生まれてくればよかったね。頭のいいのはママに似たんだろう」

「昔からわたしの頭は空っぽですよ」

「佳的にボーイフレンドはおらんのかね。僕が元気なうちに結婚してもらいたいなあ。養子を取ることまでは要求しないが、結婚してからもこの家に一緒に住んでもらえるとありがたいんだが……」

「当分お見合いするつもりもないようですよ。三十まで働くなんて言ってますから」

「なんだって！　冗談じゃないぞ。親をおどかすとは太いやつだ」

高望は真顔でつづけた。

「佳的には強制的に見合いさせるぞ。僕が相手を見つけてくる。あいつ、もう二十四だろう。二十四と言えば僕たちが結婚した齢じゃないか」

「そうでしたねぇ……」

正子が遠くを見る眼をみせて、つづけた。

「赤羽《あかばね》のお母さんが五十のときです。わたしたちがちょうど五十ですから、いま佳子に結婚されたら、親としてはちょっと複雑な気持ちになるんじゃないですか」

どういう意味だ、と問いたげに、高望が躰をはすかいにして、正子を見つめた。

「お婿《むこ》さんに娘を奪《と》られてしまったような心境になるんじゃないかしら。お母さんの気持ちがわかるような気がします。あなたは、赤羽の新婚時代も必ず嫁のわたしを応援してくれましたね。お母さんとわたしの間に入って、おろおろするなんてことは一度もなかったわ。〝われわれ夫婦のことに立ち入らないでくれ〟って、ぴしゃりとやってらしたでしょう。お母さんにしてみたら、悔《くや》しくて、嫁を恨むことになりますよ」

なんでこんな話になってしまったのだろう、と思いながら、正子は煎茶をすすった。

「おふくろは、底意地の悪いところがあるんだ。あの性格は、わが母ながら、たまらなかったな。母は、僕が兄貴より先に結婚したのがまず気に入らなかった。それから、親父の女を僕が真っ先に認めて、いろいろ援助したことも腹立たしくてしようがなかったんだ。僕に言わせれば、親父が女をつくるのは、仕方がないんだな。母は親父に対して、やさしさがなさ過ぎたもの」

「…………」

「おふくろ、兄貴とは、とうとう分かり合えなかったね。僕なりに努力したつもりなんだが、僕が代議士になったことで、決定的になったたな。おふくろは昔から兄貴びいきでねぇ。僕が兄貴より上になることは絶対にゆるせないんだろうな。ま、あっちは大企業の社長だから、野党の陣笠代議士なんて目じゃないと思い込もうとしているに違いないが……。それにしても、兄貴は僕が三回も連続当選するとは思わなかったろうな」

「お母さん、お兄さんとあなたの関係がこのまま修復されずに終ってしまうなんて、寂しいですね」

「僕は、その気はまったくないよ。おふくろとか兄貴とか思わないことにしている。住む世界が違うと言い換えてもいい……」

高望は、正子のほうへ躰を寄せた。

「僕にはママがいるからね。ママは、おふくろ兼女房みたいなものだ。ずいぶん甘えさせてもらったな。これからも甘えさせてもらうが、この世の中に僕ほど幸福な男はいないと思ってるよ」

高望は、正子の手をもてあそびながら話をつづけた。

「おふくろと兄貴のことでは、ママにつらい思いをさせたが、ママだって不仕合せってことはないだろう。僕は、ママに誇れることが一つだけあるんだ。それがなんであるかわかるかい」

正子はかすかに首をかしげて考える顔になった。

「わからんかなあ。あのねえ、僕は、ママ以外に女性を愛したことはない。そういうチャンスがなかったこともたしかだが、たとえ据え膳のようなことがあったとしても食わなかったと思うな。それほどママは素晴らしい女だってことだよ。親父や兄貴みたいな真似はしたくないっていうか、それを反面教師にしてきたってことも多少はあるけれど、ママがよすぎたんだ」

「きょうのパパはなんだか少しおかしいわ。どうしたのかしら……」

正子は、いくら相手が夫でも面映《おもは》ゆかった。

「嘘だと思ってるのかい。僕がママ以外の女を知らないってことを……」

高望に顔を覗き込まれて、正子は微笑した。

「信じてますよ」

「それならいいんだ。ママとたまにはこんな話をするのも悪くないね」

高望はにっこり微笑み返した。いい笑顔だった。

2

あくる日、高望は信濃町《しなのまち》の慶応病院に入院した。

「人間ドックへ入ったつもりでオーバーホールしたらどうですか」

「国会の予算委員会で党を代表して総括質問することになってるから、入院は無理だよ」

「それでしたらなおさら好都合じゃありませんか。病院から国会へ通えばいいでしょう。そのほうが近くていいわ」

「そうだなあ」

前夜、食事のときに、正子が入院を提案したのは、高望が食欲を示さなかったからだが、それをあっさり受けたのは、よほど躰が参っているからに相違ないと、正子は気を回した。

高望は、友人の阿川《あがわ》教授に自ら連絡を取って、内科病棟に個室を用意してもらった。

十時に入院し、直ちに阿川教授の診察を受けた。

阿川は、診察後、正子を廊下に誘い出した。

「ちょっと長びくかも知れませんよ」

「そんなに悪いんでしょうか」

「いろいろ検査してみないと詳しいことはわかりませんが、肝臓が悪いようです」

「なんですか、予算委員会で質問するとか申してましたが……」

「ちょっと無理でしょうねぇ」

阿川は眉をひそめて、手を振った。

正子は不安になった。

「こんなになるまで、よく我慢できたと思うなあ。お腹が張ると言ってましたが、腹水によるものです。利尿剤もいいのがありますし、ま、できるだけのことはしますよ」

「くれぐれもよろしくお願いします」

「奥さんもお忙しいでしょうから看護婦をつけたほうがよろしいと思います」

正子が胸をどきどきさせながら病室に戻ると、ベッドから高望が笑いかけてきた。

「ママ、僕は本物の病人にされちゃったのか。阿川の診断《みたて》はどうなの」

「多少長びくそうですけど、心配ないと思います。ただ登院するのは無理かもしれませんよ」

「よせやい。そんなのないよ」

高望は、駄々っ子のように頰をふくらませた。

午後一番で点滴が始まった。

「ここまでやらないかんのかねぇ。大袈裟だなあ」

うらめしそうな高望の顔といったらない。
三十二、三の若い医師が高望の右腕の静脈に注射針を刺そうと試みるが、血管が異常に硬くて通らなかった。
右腕から左腕に替えてみたが、やはりいうことをきかない。

「足から入れましょう」

右の足首から甲にかかる部分の血管は比較的硬直していないとみえ、やっと点滴用の針を受け入れた。

高望は、葡萄糖《ぶどうとう》やら栄養剤の入り混じった黄色い液体を一時間ほどかけて体内に注入され、尿意を催したので、担当の看護婦に洗面所へ行くことを要求したが、溲瓶《しびん》を使用するように言われて、憤然とした。

「そんな重病人扱いしないでくれ。トイレぐらい自分で行けるよ」

「先生から絶対安静だと指示されてます」

「大丈夫だ」

高望は、正子の肩を借りてベッドから脱け出し、浴衣の上にガウンを羽織った。

歩行では、正子の肩を借りなかった。高望はことさらそうしているのか胸を張って、肩を怒《いか》らせるようにして歩いているが、あとから従《つ》いて行く正子の眼にはぐらぐら揺れてるようで、ひどく心もとなく映った。

洗面所の前で、正子は五分ほど待たされた。

「小水の出が悪いんだ。あんなに大量にぶち込まれたにしては……。腹が張って気分が悪いなあ」

高望は顔をしかめて報告した。

ベッドに横たわってから、しばらく眼を閉じて静かにしていたが、四時過ぎに空腹を訴えた。

「お腹が空いたなあ。ドーナツが食べたい。あんこの入ってないやつでいいから、食べさせてもらえないかねぇ」

「先生に伺ってみましょう」

正子はナースセンターと掛け合ってみたが、阿川教授から食止の指示が出ているから承諾できないの一点張りだった。

正子は、あしたの検査に備えるためなのだろう、と思いながら食欲が出てきたことは元気が出てきた証拠だと勝手に解釈した。

「お食事は一切いけないようですよ。きっと、あした検査をするんでしょう」

「ひどいもんだねぇ」

「点滴で栄養は補給されてますから、一日ぐらい食べなくても、心配ないわ」

「寝たきりの老人じゃあるまいし、病院のやることはどうもよくわからんな」

「………」

「でも、やっぱりホンモノの病人なのかなあ。躰がだるいってことを初めて経験したよ。躰の置きどころがないんだ。こうして寝ててもなんだか気だるくてしようがないよ」

「きのうとおとといは、どうでしたの」

「おとといは、やっぱりだるかったよ。きのうは不思議に調子がよかったんだ」

六時を過ぎた頃、高望はまた食事をねだった。

「とにかくなんでもいいから食わしてくれよ。腹が減ってどうしようもない。ドーナツとは言わんから……」

体質的にアルコールを受けつけない高望は、甘いものに目のないほうだった。

夜勤の看護婦たちが相談して、氷ならいいということになった。

「これで我慢してください」

看護婦からキューブアイス入りのコップを手渡されて、高望はなんとも言えない顔をした。

高望はベッドに上体を起こして、力まかせに四角い氷を噛み砕いた。

それでもコップ一杯のキューブアイスをお菓子でも食べるように美味しそうに食べた。

八時を過ぎた頃からうめき声を洩らすようになって正子を緊張させたが、夢にうなされているのか、寝苦しいためなのか判別できなかった。

「あなた！　パパ！」

声をかけても返事がないところをみると眠っているのだろうか。

十時を過ぎてから静かになった。かすかに寝息も聞こえる。

ああよかった――。正子は安堵した。

ノックの音が聞こえ、林の顔が覗いた。

「先生いかがですか」

「こんな遅い時間に申し訳ございません。お陰さまで静かになりました。八時頃でしたか、苦しいのか、うなされているのかよくわからないんですが、唸ってたんですけど……」

「心配ですねぇ」

林は、ベッドの脇に屈み込んで、高望の寝顔を凝視《ぎょうし》しながら、つづけた。

「この十日ほどの間、どうも様子がおかしかったんです。いまにして思うとっていう感じはありますが、三日前でしたか国会の玄関の階段で立ち止まって、肩で息してるんです。先日の新工場の地鎮祭のときも、久しぶりに会った人たちから顔色が悪いって言われて気にしてました。たしかに元気がなかったような気がします」

戸塚の工場を拡張することになって、新しい建屋の起工式が行なわれたのは、一月二十日のことだ。

「入院が長びくかもしれないって、阿川先生から言われましたが、きっと元気になりますよ」

「やっぱり長びくんですか」

林は、ベッドから離れて、パイプ製の椅子に腰をおろした。

「予算委員会の総括質問は無理らしいわ。本人は出るつもりのようですけど……」

「そうですか。ずいぶん張り切って勉強してたみたいですが……」

正子が部屋の隅に置いてある段ボール箱のほうへ手を遣《や》った。

「こんなにたくさん資料を持ち込んできたのに、さすがにきょうは見向きもしませんでした。躰のだるさを訴えてましたわ」

「先生って辛抱強い人ですねぇ。無理がかさなってますから、過労で参ってたと思うんですよ」

「ほんとうね。若い頃から弱音を吐かなかった人ねぇ」

正子は時間が気になって、時計に眼を落した。

もう十一時に近い。

「林さん、ほんとうにありがとうございました。奥さんに心配かけてもなんですから……」

「女房は大丈夫です。先生のほうが心配ですよ」

林はなおも愚図愚図していたが、十一時半に病室から出ていった。

正子が十二時過ぎに補助ベッドを用意しようとして、ふと高望に眼を遣ると薄目をあけてこっちを見ている。

「あなた」

応答はなかった。

「あなた」

正子はもう一度呼びかけた。

どきっと心臓が音をたてた。

「あなた！」

高望の薄くあいた眼は白眼がかり、躰をゆすっても反応がなかった。

正子はふるえる手で、枕元のブザーを押し、ナースセンターを呼び出した。

「主人の様子がおかしいんです。すぐ来てください！」

当直医と二人の看護婦が飛んで来て、強心剤、人工呼吸などが施された。

阿川教授がおっとり刀で駆けつけて来たのは午前一時近かった。

酸素吸入器などものものしい機械が病室に運び込まれた。

医師もいつの間にか数人に増えている。

正子は、看護婦に手を引かれて、病室から廊下へ出された。

病室はスチームが効いているが、廊下の寒さは格別だった。しかし、寒さは感じなかった。

両手を組み合わせて、身内をふるわせながら、正子は祈った。

『お母さん、高望を助けて!』と正子は心の中で叫んでいた。

正子の実母は、八十四歳になるが、アルツハイマー症で入院していた。

『神に召されるのは高望でなければいけませんか。母に代えて高望を残してください。神さま、お願いです。お母さん、ごめんなさい。高望を助けて……』

正子はひたすら祈った。

そうだ、子供たちに知らせなければ——。正子はそう思ってロビーに急いだ。

薄暗いロビーの赤電話の前に立ってから、小銭入れを持ち合わせていないことに気づいた。

病室へ戻ろうとしたとき、突然呼びとめられた。

「奥さん! どうしました」

林だった。正子は階段を昇ってくる足音が聞こえなかったのである。

「心配なので引き返して来たんです。きょうは車の中で徹夜しますから、なにかありましたら……」

「パパが大変なんです。いま、阿川先生が見えました。子供たちに電話をしようと思って。おカネがないの」

「ど、どうぞ」

林が口ごもりながらズボンのポケットから小銭入れを取り出して正子に手渡した。

「わたしがお迎えにあがりましょうか」

「そうしてくださる」

「はい」

「電話をかけておきます」

林が階段を駆け降りて行った。

三度の呼び出し音で佳子の声が聞こえた。

「もしもし、佳子、ママよ……」

「どうしたの、こんな時間に」

「……」

「家のほうは特に変ったことはないわ。なんだか寝つかれないから本を読んでたんです」

「……」

「もしもし、ママ！　なにかあったの」

「パパが……」

「パパがどうしたの」

「パパが大変なの」

正子は、自分では冷静に声を押し出しているつもりだった。

「そんな……。ママ、なにを言ってるの。もしもし……」

「いま、林さんが迎えに行きました。とにかく望《のぞむ》と来てちょうだい」

正子は返事を待たずに電話を切った。病室のほうが気がかりだった。

病室の前まで来て、入っていいものやら悪いものやら逡巡《しゅんじゅん》した。

正子がドアのノブに手をかけたとき、「くすくすっ」と笑い声が聞こえた。

どうしたのだろう、高望は助かったのだろうか——。

それは、機械の単純な操作ミスを医師の誰かが笑ったことがあとでわかった。医師たちにとって、死体は物体に過ぎないのであろうか。

正子の祈りは神に通じなかった。

医師団も手を尽くしたが、もはや手遅れで、高望の胸の鼓動がよみがえることはなかった。

昭和五十六年一月三十日午前一時半に、高原高望の死が確認された。死因は心筋梗塞と発表されたが、肝不全によることも明らかであった。

「こんなに急激な変化があるとは思いもよりませんでした。申し訳ありません」

阿川教授は正子に頭を下げた。

「さっき病室から笑い声が聞こえました。不謹慎ではありませんか」

「申し訳ありません。他意はないのですが……。よく注意します」

「阿川先生にずっと付いていていただけてたら、高原は助かったのでしょうか」

阿川は黙って首を左右に振った。

正子は、阿川と別れて、もう一度赤電話の前に立った。

受話器に手をかけて、一瞬躊躇《ちゅうちょ》した。

真っ先に知らせなければならないはずの人なのに――。

高望は、実母の隆子《たかこ》とは没交渉だった。実父の征太郎《せいたろう》は九年前に他界したが、征太郎の生前から隆子とは疎遠だった。

しかし、いくら没交渉だったとはいえ、実母に連絡しないという法はない。

隆子は、間もなく喜寿を迎えるが、赤羽の陋屋《ろうおく》にひとりで住んでいた。子供たちの世話にはなりたくない、というのが隆子の信条でもあったのだ。

正子は受話器を耳に押しあてて、じっと呼び出し音を聞いていた。もう、それを二十回は聞いた。

隆子の寝室は二階にある。二階への切り替えを忘れていたとすれば、寝入ってしまうと階下の電話の音では眼が覚めないかもしれない。

正子は、隆子への電話を諦め、松野家のダイヤルを回した。松野昭子は、高望の実妹で大学時代の旧友、松野裕次の妻である。

母親を気遣って、隆子の家から徒歩五分ほどの所に住んでいた。

呼び出し音が切れるまでに正子は二分ほど待たされた。

「もしもし、松野ですけど……」

不機嫌そうな声は、昭子のそれだった。

「こんな時間にごめんなさい。鎌倉の高原です」

正子の声は落着きを取り戻していた。

「義姉《おねえ》さん、どうなさったの」

「高望が息を引き取りました。心筋梗塞です」

息を呑んだにちがいない。応答が途絶えた。

「いま慶応病院です。義母《おかあ》さんのお宅に電話をしたのですが、お寝《やす》みのようで……。昭子さんから連絡していただけますか」

「……………」

「わかったわ。それにしてもずいぶん急だわねぇ」

「あら、主人が起きてきたわ。ちょっと失礼します……」

受話器に掌をあてて、話しているらしい。

二人のやりとりは聞こえなかった。

「もしもし、主人もすぐ病院のほうへ伺うと言ってるわ。母を誘って行きますが、慶応病院へ行けばわかるのね」

「わかると思います……」

正子が病室を教えて電話を切ろうとするのを昭子に押しとどめられた。

「もしもし、征一《せいいち》兄さんはどうするの。いまロスだけど、ホテルはわかってるから電話だけでもかけておきましょうか」

「お仕事でお忙しいんでしょう。心配させてもなんですからけっこうです」

正子はロスと聞いてホッとした。

征一には弔問に来てもらいたくなかったのである。

生前、高望は「あいつは兄弟とは思わない」と言って憚《はばか》らなかった。

電話が切れたあとで、松野夫婦は、ロスアンゼルスの高原征一に国際電話をかけるかどうかで言い合いになった。

高原征一は、ニチベア（日本ベアリング）グループの総帥である。ニチベアは海外で事業を展開し多国籍企業として知られているが、国内でも企業買収によって事業の拡大を図っている異色の企業だ。

ニチベア本体の資本金は八十五億円、年間売上高七百億円、従業員約三千名だが、ニチベア・グループ全体ではおおむねこの三倍の規模を誇っており、拡大基調を堅持している。

「ロスに電話を入れろよ」

「正子さんは迷惑そうだったわよ。外遊してて、かえってよかったんじゃない」

「そうはいくか。寒いからストーブを点《つ》けろ」

松野は、高望と同い齢だが、ひたいが禿げあがってるせいか、五つ六つ老化《ふけ》て見える。

昭子は、夫より二歳下で四十八歳だ。

二人ともパジャマの上にガウンを羽織っているが、一月下旬の深夜のことだから、冷え込みは厳しかった。

寝室のガスストーブに点火しながら昭子が言い返した。

「征一兄さんに電話なんかしたら、余計なことをするなと叱られるのが落ちだわ」

「しなかったらしなかったで、怒られるさ」

「そんなことないわよ。高望兄さんのことなんか眼中にないんだから」

「あんなやつ眼じゃない、っていう顔してるけど、あれでけっこう意識してるんだよ。高望が代議士先生になったのがおもしろくなくてしようがないんだ。兄弟であれだけ張り合ってるのも珍しいな」

「張り合うっていうとライバルみたいに聞こえるけど、あの二人は不倶戴天《ふぐたいてん》の敵みたいな顔してるじゃない。いくら兄貴でも、そんな人に訃報《ふほう》でもないでしょう。しかも、日本にいないのよ」

「いいから、俺の言うとおりにしろよ。ホテルに電話するんだ。いま二時ちょっと前か……」

松野は、サイドボードの置時計に眼を遣りながらつづけた。

「ロスは朝の九時だな。社長は、ホテルの部屋にいるよ」

松野は、ニチベアの非常勤役員だが、ニチベア・グループの中核的企業の経営をまかされていた。

「それより早く仕度をしなくちゃあ。あなたは高望兄さんともつきあってるんだから、病院へ駆けつけるのが筋でしょう」

「死んだ者が生き返るわけでもなかろう。生きてる者のほうが大事だよ」

松野は悪びれずに返して、階下へ降りて行った。

リビングルームの電話台に、征一の外遊中の日程表が置いてあるが、日程表には宿泊先と連絡先もタイプ印刷されてあった。

松野は、昭子が愚図愚図言ってるので、ロスのホテルに電話をかけるつもりになったのだ。

望《のぞむ》は、林を待ち切れなくて、自分で車を運転して病院へ向かった。

林が戸塚の自宅に立ち寄り、女房を助手席に乗せて、高原邸に到着したのは午前二時過ぎだった。

気働きのする男で、留守番が必要だと思ったのだ。

別棟の霊安室に遺体が移され、望、佳子、松野夫妻に続いて、首席秘書の伊勢繁、林、茅《ち》野《の》光《ひかる》取締役工場長ら啓発社製作所の幹部たちが駆けつけて来た。

望と佳子は遺体にとりすがって泣いた。それに誘われるように皆んな涙にくれたが、正子は涙を見せなかった。

『パパ、あんまりだわ。あまりにも突然過ぎます。わたしたちはこれからどうしたらいいんですか』

正子は胸の中でそんなことをつぶやきつづけていた。

3

一月三十日付の夕刊で各紙とも高原高望の死を報じた。

たとえばY新聞は一面に写真入りで次のような死亡記事を掲載している。

高原高望氏（たかはら・たかもち＝衆議院・社民党）三十日午前一時三十分、心筋コウソクのため、東京・信濃町の慶応病院で死去、五十歳。東京都出身。啓発社製作所代表取締役。神奈川四区から当選三回。党県連副会長。
通夜は二月一日午後六時から、密葬は二日午後一時から、いずれも鎌倉市扇ガ谷×××の自宅で。喪主は妻、正子（まさこ）さん。
◇
高原氏の死去により、衆院の社民党・国民連合は三十二、欠員三となった。

Y新聞は、三十一日付朝刊の地方版でも〝期待の星……社民に打撃、高原代議士の死〟の三段見出しでスペースを割いている。

高原高望（五〇）（社民、四区選出）は三十日未明、心筋コウソクで急死したが、その突然の悲報は県内政党関係者や高原代議士を知る多くの県民に激しいショックを与えた。特に社民党県連の動揺は大きく、会長の河崎前代議士は、「昨年のダブル選挙で県内議席を一つ減らし、貴重な議席を守った高原君が今度は急死。彼は党の中核的存在になりつつあっただけに、二重の衝撃だ」とガックリしていた。なお県内選出国会議員が現職で死去したのは、高原代議士が戦後三人目。

高原代議士は豪放な性格で知られていた。一メートル六十足らずの身長に、七十五キロの体重。豆タンクのような体型で、党務に政治に突進する姿に引きつけられる人は多かった。

慶応大学出身で、大学時代は応援団長として鳴らしたという。河崎県連会長は「早慶戦で旗を振った経験が、指導力を養い、生来の豪放な性格と相まって政治家向きの人柄となった」と、しみじみ話す。

さる四十七年に社民党に入党、四十九年の参院地方区に出馬したものの一敗地にまみれ、二年後の総選挙（四区）で初当選、昨年のダブル選挙で三回目の当選を果たし、議院運営委員、公職選挙法対策特別委員会理事として活躍していた。しかし、今月二十六日から始まった通常国会では、初日に出席したものの、体調が悪く二十七日から自宅で休養し、二十九日に入院したまま、不帰の人となった。

高原代議士急死の報に接した長野知事は「高原さんとは私が出馬を決意した直後からのおつきあい。その行動力と、経営者出身らしい豊かな見識と指導力に感服していました。魅力的な政治家として将来を嘱望されていただけに残念でたまりません」と語っていた。

なお、社民党県連では、高原代議士の経営する啓発社製作所と合同で、来月十三日午後一時から、横浜市戸塚区戸塚町二四四の日本製作所健保会館で県連葬を行う予定。葬儀委員長は河崎県連会長。

A新聞も『〝寝耳に水〟社民県連』の四段凸版につづいて『高原代議士死去』『党内若手ホープ、トラの子の議席失う』の見出しを掲げて、八十数行の記事を書いた。

K新聞は、地元紙だけに一面と二面で大きなスペースを割き、『中小企業ひとすじに』『予算委の質問前に急逝の高原高望氏』『自費で渡航、海外情勢の研究も』などの見出しのあとに、いくつかのエピソードを集めている。

「エッ、あの高原さんが？」。高原高望氏の急逝は、前日、荒川代議士の追悼演説をしたばかりの国会内に驚きの声とともに伝わった。五十歳という若さ。小兵ながらガッチリした体格で、「今度予算委で総理と対決するから」と張り切っていただけに、だれもが信じられないといった表情。その質問では、持ち味を生かして、冒頭に中小企業対策をぶつける予定だった。しかし、それも〝幻の質問〟となってしまった。

議員歴五年。酒、たばこ、コーヒーはやらず、もっぱら「甘いものとうまいもの」を楽しみながら中小企業対策を中心に政治に打ち込んできた。

この十三日にも鈴木委員長に「わが党に欠ける国際性をつけるため、諸外国から大きな影響力を持つ人物を日本に党として招く必要がある」と提案。自費で二人まで受け入れる準備も進めていたほど。公選法特別委で一緒だった自由党の今泉孝一郎理事も「理事会でよく共産党とやり合っていたが、バイタリティがあっておおらかな性格。存在感のある人だったのに」とスケールの大きさを残念がる。

二日から始まる衆院予算委。高原氏は同党の三番手として質問に立つ予定だった。予算委といえば晴れ舞台。それだけに高原氏には大きな心残りだったに違いない。

「法人税を一律二％引き上げるという政策は、日本経済の下支えをしている中小企業に経営意欲を失わせる」「中小企業の体質強化には積極的な投資減税を行うべきだ」と大声で総理、閣僚を追及する高原氏の姿は見られない。

通夜にも密葬にも母の隆子は顔を出さなかったが、兄の征一が密葬に姿をあらわし、関係者を驚かせた。

ロスのホテルで高望の訃報に接した征一は、スケジュールを変更して、急遽《きゅうきょ》帰国したのである。

征一が、高望邸を訪問したのはこのときが最初にして最後であった。

高望が鎌倉の扇ガ谷に二百七十坪ほどの敷地を約一億円で購入したのは昭和四十九年の暮

れのことだ。

当時、高望は代議士ではなく、一介の中小企業経営者に過ぎなかった。

もっとも中小企業とはいえ、資本金こそ五千万円と過小資本だが、従業員約二百人、年間売上高約三十億円、純利益約二億円の超優良企業である。社名は啓発社製作所。わが国第二位の大手自動車メーカー、大洋自動車の下請部品メーカーだが、部品メーカーのほとんどが大洋自動車の資本参加を受けていたのに対して、啓発社製作所は独立資本を堅持していた。横浜の戸塚に本社・工場を持ち、エンジンマウンティング、エンジンスリンガーなどエンジン回りの部品からスプリングシート、アクセルカバーなど十数種の自動車部品を独自の技術で生産し、数多《あまた》の大洋自動車系部品メーカーの中でも優良企業として際立った存在だった。

高原高望は、父征太郎から受け継いだ町のプレス工場を中堅自動車部品メーカーに育て上げたのだ。

昭和五十一年十二月五日の第三十四回衆議院議員選挙に、神奈川四区から社民党推薦で立候補して当選してからも、高望は代表取締役社長として啓発社製作所の経営に当たり、二足の草鞋《わらじ》を履き続けてきた。

ちなみに、高望が急逝した直前の五十五事業年度（五十四年九月～五十五年八月）の同社売上高は約五十五億円に拡大している。

扇ガ谷の敷地を家族四人で下見に来たとき、正子は、購入することに反対した。

「こんな浅茅《あさじ》が原《はら》みたいなところに家を建てて住むなんて、わたしは厭です」

高望は、靴が埋ずまるほどの深い落葉を踏みしだきながら、隅々まで丹念に見て回った。

「だいいち広過ぎます。中小企業経営者には分不相応ですよ」

「いや、決めよう。無理をしても買っておくべきだ。環境は抜群だし、今後こんな出物にめぐり合えるとは思えないな」

高望はその場で決断した。

高望がひとたびこうと決めたら、なにを言っても無駄である。

「ママ、心配することはないよ。将来きっときょうの僕の決断にママは感謝すると思うな」

高望ににこっと笑いかけられて、正子は苦笑まじりに口をつぐんだ。

百坪ほどの鉄筋コンクリートの豪邸を新築したのは二年後のことだ。


高原征一は、読経のときも無遠慮に調度品などの品定めをしていたが、焼香を終えたあとで、もう一度じろじろとあたりを見回した。

祭壇をしつらえた一階のリビングルームは、二十坪ほどあろうか。

隅のグランドピアノが邪魔なほど多勢の弔問客が詰めかけ、庭にしつらえた焼香台にも延々と弔問客の列が続いている。

しかし、芝生を敷き詰めた庭の広さも、田園調布の自邸に比べれば、はるかに見劣りする

――。

邸宅も然りだ――。征一は多少は安心したが、たかが中小企業経営者が、たかが野党の代議士風情が、と思うと、無性に腹立たしかった。

俺は、東京証券取引所一部上場一流企業のオーナー社長であり、ニチベア・グループの総帥でもある。高望ごときと同列に置かれてたまるか、と征一はつねづね思い続けていた。

征一は、正子とは目礼を交わしただけだったが、貴賓室として用意した中二階の和室にも顔を出し、政財界関係の弔問客に遺族の親戚代表の立場で応対していた。

密葬の焼香者は約千五百人に及んだ。

納棺のとき、正子は、自身が高望に宛てた手紙の束などと共に、小犬の人形を紙に包んで棺に入れた。

高望は、二十七年も昔の独身時代に正子がプレゼントした人形を、いつまでも大切に持っていた。

「このワン君は僕の宝ものだよ」

高望が何度か口にした言葉である。

4

翌日の午後、正子は田園調布の高原征一邸に電話をかけた。平日なので征一が不在であることはわかっていたが、とりあえず密葬のお礼を家人に伝えておこうと思ったのである。手伝いの女に替って征一夫人の美和子《みわこ》が電話口に出て来た。

「昨日の密葬のお礼をと思いまして。いずれ改めて参上致しますが、お兄さまにくれぐれもよろしくお伝えくださいませ」

正子は、兄嫁の美和子とは面識がなかった。

征一と美和子は、高望と正子がそうであるように幼馴染であった。ただし、征一夫婦は再婚同士である。

正子は、挨拶だけで電話を切ろうと思ったが、美和子は慰めの言葉をかけてくれた。

「お力落しでしょう。おなぐさめの言葉もありませんわ。主人も驚いてますのよ。主人になんでも相談してください。主人はとっても心のやさしい人ですからね。わたしの連れ子をそれはそれは大事にしてくれますの。あなたがたのこれからのことでも、力になってくれると思いますよ」

「ありがとうございます」

「啓発社製作所のことでも主人にまかせておけば安心です。きっとあなたがたの悪いようにはしないことよ。なんだかんだ言っても、主人と高望さんは血を分けた兄弟なんですから……」

征一は、高望と正子が結婚した一年後に、大手都市銀行副頭取の娘の大沢伸子と見合い結婚し、二男をもうけたが、美和子と再会し、美和子に魅かれて、伸子との離婚を決意した。

伸子との離婚は家裁の調停に委ねることになるが、子供を連れて実家に帰った伸子に対して、征一は生活費の仕送りを拒否した。

「兵糧《ひょうろう》攻めは卑怯だ。兄貴の人間性を疑うな……」

高望は、伸子に同情して、征一と美和子の結婚式に欠席した。

そのことで征一は、高望を恨んでいるはずだった。

このことは、兄弟が不仲になった一因でもあるが、美和子からそんな気配は汲み取れなかった。

結婚式の出席を拒んだ高望のほうが頑《かたく》なで依怙地だったのかもしれない――。

電話で話していて、そんな思いにとらわれたほど、美和子の言葉は正子の胸に沁《し》みた。

二月四日の朝、正子は啓発社製作所取締役総務部長の三浦から電話で午後二時に来社するよう求められたので、黒っぽい地味なスーツの上にバーバリーのコートを着て家を出た。

ついきのうまで高望の部屋だった社長室のソファで征一、松野、村谷《むらたに》の三人が正子を待っていた。

村谷は、数年前、大洋自動車を課長職で定年退職後、同社首脳の口ききで啓発社製作所に常務取締役として入社した男である。

生前、高望は超ワンマンとして啓発社製作所に君臨したが、代議士に当選し国政にかかわるようになってからは、日常のデイリーワークのかなりの部分を村谷にまかせていた。

何年か前、会社の忘年会で、酒にしたたか酔って女子社員にわるさをした村谷を高望が大声で叱りつけたことがあった。

村谷はほとんど酒乱に近く、女子社員に抱きついたり、顔やえりあしをべろべろ嘗《な》めまわしたり、胸に手を突っ込もうとするなど、始末が悪かった。

「いい加減にしないか！　恥を知れ！」

高望の放った大音声は、宴会場の隅々まで響きわたり、会場は静まり返った。

「なにを！　若造のくせに、生意気な」

村谷はその場では反抗的な態度を取ったが、翌朝は青菜に塩で、辞表を持って社長室にあらわれた。

高望は、中を改めずそれを背広のポケットに入れて、ソファに移動した。

「坐ってください」

「失礼します」

蚊の鳴くような声だった。

「僕は酒をやらないから、酒飲みの気持ちがよくわからない面はあると思いますが、いくら酒の上とはいっても限度があると思うんです。昨夜の村谷常務は限度を越えてたんじゃないですか」

「おっしゃるとおりです。弁解の余地はありません」

「会社でなにかあったんですか」

村谷はうつむいたまま首を振った。

「それとも家庭でなにか……。フラストレーションがたまってるんですかねぇ」

「酒を過ごすと前後の見境いがつかなくなるんです。注意してセーブしてたんですが……。ほんとうにご迷惑をおかけして申し訳ありません」

「大先輩の村谷さんにあんな大きな声を出して、僕も反省してます。あれしきのことで会社を辞めるなんて大袈裟ですよ。ま、お互い気をつけることにしましょう」

高望はポケットから封筒を取り出して、力まかせに引き千切った。

その村谷がいま征一から少し離れた位置に緊張した面持ちで、ちんまり坐っていた。

コの字形のソファの中央に征一がどかっと陣取り、左右に松野と村谷が控えている。

正子は、征一に近づいて丁寧に挨拶した。

「昨日、お留守中にお電話で失礼させていただきました。美和子さんにいろいろお気を遣っていただいて恐縮しております」

「うむ」

征一は生返事をして、ドアに近いソファを手で示した。

「失礼します」

正子は、村谷の隣に腰をおろした。

三人とも押し黙って、なかなか切り出そうとしないので、たまりかねたように正子が話した。

「十三日に啓発社製作所と社民党県連の合同葬を出していただけるそうですが、四十九日はいかがいたしたらよろしいでしょうか」

「そんなものは会社とは関係ないな。勝手にやったらいいじゃないか」

征一は厭な眼つきで、正子をとらえ、顔の裏側から発するような甲高い声でつづけた。

「きょう来てもらったのは、会社に出入りしないでほしいと伝えたかったからだよ」

正子は懸命に征一を見返した。

「どういう意味でございましょうか」

「あんたには会社に来てもらいたくないんだ」

征一は右手の人差指を正子の胸もとに突きつけた。

「あんたは非常勤の取締役になってるらしいが、降りてもらうよ。わたしもこの会社の非常勤取締役として名前を連ねてるが、この十年間役員会に出たことはなかった。高望から出席を求められたこともなかった」

征一は、煎茶をひと口すすり、湯呑みをサイドテーブルに戻しながら、横眼で正子を見上げた。

「六日の午後役員会を開催して新社長を決めたいと思ってるんだ。最後の役員会だから、出席したらいいだろう」

正子はふるえ声を押し出した。

「この会社は亡夫の高望が育てた会社です。そんなことを言われるのは心外です」

征一はじろっとした眼をくれて、ふんと鼻で笑った。

「高望は啓発社製作所を自分の会社だと勘違いしてたようだが、間違ってるな。会社は株主のものだ。社長のものでも社員のものでもない。いいかね、啓発社製作所の株式の七五パーセントは、啓発社が保有してるんだ。啓発社の株式の八〇パーセントはわたしが保有している。わたしは親会社の社長だよ」

征一は言い募《つの》った。

「わたしは、父の遺産相続の問題がごたごたしたときに、高望に忠告した。啓発社製作所の株式を過半数持つようにしたらどうか、とね。それに対して高望はなんと言ったと思う。製作所は俺の会社だから、株は只でもらって当然だとぬかしおった。家裁の調停員のひんしゅくを買うわけだ」

「そんな、ひどいことを……」

正子は絶句した。

悔しくて涙がこぼれそうになった。死人に口なしではないか。

高望から聞いた話は、「啓発社製作所の株価は含み資産、収支状況などからみて、額面の二十五倍ぐらいには評価されて然るべきだろう。おまえは一七パーセント保有してるわけだから、マジョリティ(過半数)を取るためには、三四パーセント積み増しする必要がある。金額にして四億二千五百万円になるわけだな。俺のほうはいつでも手放す用意があるぞ」という意味のことを征一から言われて、「冗談じゃない。僕が育てた会社だぜ。その努力を多として額面プラスアルファぐらいのところで譲渡してくれたっておかしくはないよ」とやり返した、という内容であった。

「お兄さまと高望がどんなやりとりをしたか、わたしはその場に居合せたわけではありませんから、わかりませんけれど、主人からそんなふうには聞いておりません。只でもらって当然などという発想があったとは思えません」

「あんた、わたしがでたらめを言っているって言うのか」

征一は居丈高《いたけだか》に浴びせかけて、こぶしでどーんとテーブルをたたいた。

「そんなことは言ってません。わたしは、主人からあなたがおっしゃってるようには聞いていないと申し上げてるんです」

「あいつは、無頼《ぶらい》の徒《と》だ。あんたにどう話してるか知らんが、すり替えの名手だよ。鎌倉に豪邸を建てるために、わたしに親父から相続した啓発社の株を売りつけたんだよ」

征一の人間性を疑うと、高望から何度言われたかわからない。昨日、電話で美和子に「主人は心のやさしい人です」と言われて、気持ちを動かしたことが悔しかった。

「まだ主人の本葬も終ってませんのに、どうしてそんなひどいことを言われるんですか。十年間一度も会社に顔を出さなかった人から、無頼の徒などと……」

正子は膝の上でぎゅっとこぶしを握りしめながら隣の村谷へ眼を遣った。

たとえひと言でも、なにか執《と》り成すことを言ってくれてもいいではないか、と眼で訴えたつもりだった。あなたの会社の社長だった人が、こんなに侮辱されてるんですよ――。

村谷は、正子の視線を外して下を向いた。

正子は、松野のほうに眼を流した。

松野は頰をさすりながら、視線をさまよわせた。ぬえ的な男だった。けっこう高望にもすり寄って来ていたし、人の顔色を見るようなところはあったが、いわば征一、高望兄弟の中に立って、調整機能を発揮しているととれないこともなかった。

「あんたにうろちょろされたら迷惑なんだ。目ざわりなんだよ」

「代表がここまで言われてるんですから……。会社に出入りしなければならない必然性もないでしょう」

正子はわが耳を疑った。松野の言葉とは思えなかった。

背広の襟をかきあわせるような仕種《しぐさ》をしながら松野がつづけた。

「高望君は、この会社を私物化し過ぎましたね」

正子はきっとした眼で松野をとらえた。

「あなたは啓発社製作所にひんぱんに出入りしてたんですから、主人に至らない点があったとしたら、なぜ注意してくださらなかったのですか。私物化してたなんて言いがかりです」

「言葉を慎め！」

征一は激昂した。

「けさ、早くここへ来て、幹部を集めて話を聞いたが、あいつがでたらめをやってることは事実だ」

「会社からおカネを借りてることは存じてます」

「いずれはっきりさせるよ。とにかく、会社には来ないでもらいたい」

「用事がなければまいりません。でも息子には、父親が育てた会社を見せたいと思ってます。近日中に連れてまいります。わたくしはこの会社の株主でもあるんですから……」

咄嗟《とっさ》の思いつきではなかった。正子は高望の生前から、望《のぞむ》に一度は啓発社製作所を見学させたいと考えていた。

征一は脚を投げ出した姿勢で天井を見上げたまま返事をしなかった。

正子が退室したあとで、征一が村谷に命じた。

「十日以内に、高望の伝票をすべて洗い出しなさい。会社にどのくらい借金があるか、代議士になってから交際費をどのくらい使ったか、経理部長に調べさせればわかるだろう」

「承知しました」

「社長はあんたにやってもらうつもりだよ」

「恐れ入ります」

「しっかりやってください」

「はい。頑張ります」

村谷は、そんな気がしないでもなかった。征一から踏みつけにされている高望夫人を気の毒だと思わぬでもなかったが、加勢しないでよかった、といまはホッとした思いのほうが勝っていた。

5

啓発社製作所の本社・工場の役員会議室で役員会が始まったのは二月六日午後二時五分過ぎだ。役員会への出席は正子にとって初めての経験である。

冒頭、高原征一が長々と挨拶した。

「一昨日の朝、初めて会社の中を見せてもらいました。わたしは経営者でもあるが、製造家でもあるから、啓発社製作所に限らず、工場をひと目見れば大体のレベルがわかります。この工場の優れている点はどこか、いま問題になっている点はどこにあるのか、近い将来どこに問題が起きてくるか——。製造業の経営者として、こういうことがわからないようでは、おかしいとさえ思ってます。わたしは常に現状から過去を読み取り、現状を踏まえて明日のために何を積み上げてゆくかを的確に決めて会社経営に当たっているが、まあ、啓発社製作所の将来については、おおむね心配しなくていいと申しあげておきます。ただし、この会社は長年にわたって、高望がワンマンスタイルで経営してきたことなどから、かれに長くついてきた人たちの中には世間では理解しにくい現実もいくつかみられます。しかし人間はかしこいものですから、わたしからすでに世間なみのものの考えかたを話してあるし、時間の経過と共に、これらの諸点については新たな変化、対応に移り変っていくであろう、と考える次第です。わたしとしては、今後はニチベア、啓発社、啓発社製作所をトータルの観点から経営してゆくのがいいんじゃないかと思ってます」

征一は咳払いを一つして、ちらっと隣席の村谷に眼を遣った。

「さて本題に入りますが、ここにおられる村谷さんが社長を引き受けてくださいました。啓発社製作所は資本面の結び付きはありませんが、大洋自動車の圏内で仕事をしております。

営業面、労務面という会社経営にとって最も難しい問題を大洋自動車さんのご指導、ご方針により骨組が形づくられておりますので、通常の世間の会社からみれば、特殊といえば特殊、らくな仕事といえばらくな仕事です。大洋自動車さんは、親会社といっても過言ではないが、大洋自動車さんも村谷さんの社長就任を大変よろこんでおられます。大洋自動車さんから、村谷さんを補佐するかたを一人お出しいただけないか、と昨日、横川専務にお願いしましたところ、ご理解を示していただけました。それから、塩野会長もご援助くださるとのことでした」

大洋自動車の横川久《ひさし》専務は、購買担当だから、啓発社製作所に限らず部品メーカーにとって、これ以上恐い存在はない。

塩野会長とは、大洋自動車労働組合を中核に大洋自動車傘下の部品メーカー、販売会社を含めた大洋自動車労働組合連合会の頂点に立つ塩野三郎のことだ。大洋自動車労働組合連合会の通称は自動車労連だが、啓発社製作所労働組合もこの一員である。

自動車労連傘下の組合員は約二十三万人、塩野はそのリーダーとして、いまやカリスマ的とさえ評されるほどの巨大な存在に伸《の》し上がっていた。

大洋圏の関連部品メーカー、関連販売会社の経営者に睨みがきく存在としては、塩野のほうが横川を凌駕《りようが》しているかもしれない。巷間、大洋自動車には三人の権力者が存在すると言われているが、三人とは代表取締役会長の川瀬弘、代表取締役社長の石川敏夫、それに塩野である。

高望と塩野は因縁浅からぬ仲だった。

自動車労連のバックアップなくして、衆院議員に当選することは不可能であった。

前年五十五年六月二十二日の衆参同日選挙で、高望は十二万二千百三十九票を獲得、三位当選を果たした。横浜市南部一帯が神奈川四区の選挙区だが、過去二回の選挙戦に比べて大幅に票を上積みできたのは個人的な人気が保守層に及んだためだが、自動車労連の基礎票がなければ当選は覚束《おぼつか》なかったであろう。

高望にとって塩野は、恩人の一人ということができるが、高望は塩野とソリが合うほうではなかった。むしろ、女性的で嫉妬深い塩野のような男は肌に合わなかった。虫酸《むしず》が走るほどではないにしても、一段高い所から見下すような態度は鼻もちならないと思っていた。いつ会っても、おまえを代議士先生にしてやったのはこの俺だぞ、と顔に書いてあるのだ。

だからといって、塩野なんてくそくらえ、という態度はとれないから、通りいっぺんのつきあいはしてきたが、浜松町の自動車労連本部へ塩野のご機嫌伺いに行かされるのが、いちばん業腹だった。

投票日の翌日、午前十時に自動車労連本部に塩野を訪ねるように本部の事務局から指示されていたし、正月休み明けに真っ先に挨拶しなければならない相手も塩野であった。

年末の挨拶を怠ろうものなら、どんなしっぺ返しを受けるかわからない——。

「塩野って、いやな男だよ。尊大で、ねちっこくて……。ああいう労働貴族みたいな男がどうして働くひとたちの気持ちをつかむことができるんだろうか」

高望は、さも不思議でならないと言いたげに正子に話したことがある。

「あなたの大嫌いな征一さんよりも？」

正子はおどけた口調で訊いたことがあった。

高望はまじめくさった顔で答えたものだ。

「猜疑心が強くて、人を信じられない点は共通しているな。だから恐怖政治を敷くようなことになるんだ。二人とも頭のよさは抜群なんだろうが、底意地の悪さから言ったら、征一のほうが上だろう」

塩野の名前が征一の口にのぼったことで、正子は一層やりきれない思いになった。

「村谷さんの社長就任についてはご異議はありませんか」

征一が一同を見回すと、三浦が居ずまいを正して答えた。

「異議ありません」

取締役工場長の茅野に村谷を含めた三人が常勤役員で、征一、正子、それに伊勢の三人は非常勤である。

伊勢は、三浦の前任の総務部長だが、高望が代議士になってから、実質総括責任者として選挙戦の指揮を執るようになった。

国から給与は支給されない私設秘書だが、秘書団の首席であった。間もなく還暦を迎えるが、年齢のわりに若く見える。

「ご賛同ありがとう。村谷さん、ひとこと挨拶をお願いします」

征一に促されて、村谷がメタルフレームの眼鏡の奥で、眼をしばたたかせながら起立した。ひたいが禿げ上がってひろい。

面長で鼻筋がとおり、紳士然とした顔立ちである。

「はからずも、大役をおおせつかって、身のひきしまる思いでございます。高原代表のご指導の下、社業発展のために誠心誠意つとめさせていただきます。よろしくお引き回しください」

村谷はうわずった声で挨拶した。

「ついでながら申しあげるが、啓発社の次長クラスを一人常勤役員として派遣します。最前申しあげた大洋自動車からの一人と合わせて、新任役員を二人迎えることになりますので、この際、非常勤役員は、わたしも含めて退任することと致したい」

正子は、なにか言わなければと思いながら、言葉が出てこなかった。

伊勢が不安そうな顔をこっちに向けていたが、正子は気がつかなかった。

「それでは、これをもちまして役員会を終らせていただきます」

発言しながら、征一はもう起《た》ちあがっていた。

正子が帰宅したのは五時五分前だったが、子供たちは帰ってなかった。

正子は暖房を入れるのも忘れて、コートを着たままソファに腰をおろした。

融《と》けて消えてしまうのではないかと思えるほどの深い静寂が正子を包んでいた。

ふと、〝トセリのセレナーデ〟が耳によみがえった。

正子は放心からわれに返り、ピアノの前に立って、右手の人差し指でぽつん、ぽつんと鍵盤を押して行った。それは、辛うじてセレナーデの旋律を伴っていたが、長くは続かなかった。

不意に正子の大きな眼から涙があふれ出た。

正子は、人前でめそめそしてはならない、と自分に言いきかせてきた。

通夜で望《のぞむ》が涙を見せたとき、

「男のくせになんですか。こらえるのよ」

と叱りつけもした。

十日前、高望はトセリのセレナーデをピアノで弾いたあとで、

「ママは素晴らしい女だよ。感謝している」

と言った。唐突な感じがしたが、あのとき高望は死に対してなにか予感めいたものがあったのだろうか。

『あなたがつくった、あなたが育てた会社から、締め出されてしまいました。わたしはどうしたらいいの』

正子は、両手で顔を覆っていつまでもむせび泣いていた。

「ただいま」

佳子の声だった。

「ママ、どうしました。寒くないんですか」

「ええ」

正子は顔をそむけるように答え、玄関のホールに近い高望の書斎に飛び込んだ。

デスクの上で高望の遺影が笑いかけている。それが涙で滲み、学生時代の童顔と二重写しになって正子の眼に映った。

第二章　学生重役

1

うつむき加減なのでよくわからないが、見憶えのある顔だ。たしかにどこかで逢っている——。

高原高望は、ドアに近いシートの端に坐って、文庫本を読んでいるショート・カットの若い女性に、さっきからずっと視線を注いでいた。

夜遅い時間で電車はすいていた。

高望は、女から左斜め向かい側に位置していたが、王子《おうじ》駅で乗客が減り、真向かいの席があいたので、そこへ移動した。

女が本から面をあげ、高望と眼が合った。

ハッとするほどきれいな顔だった。こんどは高望がうつむいた。胸をときめかせながら、足もとばかり見ていた。

ひたいのあたりに女の視線を感じていた。

そっと顔をあげると、女がかすかに微笑んだように思えた。

「失礼ですが、高原さんじゃありません？」

女は座席を離れ、高望の前に立った。誘われるように、高望も起ちあがった。

「ええ。高原ですが……」

「やっぱりタカモッちゃんでしたのね。わたくし佐藤正子です」

「ああっ、マーちゃん！」

高望は思わず感きわまった声を洩らした。

近くの乗客がいっせいにこっちを見たが、高望はおかまいなしに声高につづけた。

「ピアノで一緒だった。そうか、どこかで見た顔だと思ってたんですけど、まさか、こんな美人になるとは思わなかったなぁ」

「タカモッちゃんこそ、ご立派におなりになって」

正子は小声で返した。

高望の大きな声が恥ずかしかった。

乗客の一人が座席を移動してくれたので、二人は礼を言って、並んで腰かけた。

戦前、赤羽小学校へ通学していた頃、同級生の二人は偶然、同じ先生に付いてピアノの個人レッスンを受けていた。週一度六年間通い続けた仲だから忘れるほうがおかしいのである。

小学校時代の高望は、いたずらっ子だったが、タカモッちゃんとかモッちゃんと呼ばれてクラスの人気者だった。

勉強もよくできたが、あんないたずらっ子がどうしてピアノなんか習いにくるのか子供心にも正子は不思議でならなかった。

京浜東北線《けいひんとうほくせん》を境に、山の手《やまのて》と下町に分れるが、高望は荒川寄りの下町、正子は山の手のお嬢さん育ちで、親に半ば無理強いされてピアノ教室に通わされた口である。ところが高望は愉しそうにピアノの稽古に励んでいたので、上達も早かった。正子は、たちまち高望に差をつけられて、よけい教室通いが嫌いになった記憶がある。

二人は、昭和二十八年三月下旬の夜、十二、三年ぶりに邂逅《かいこう》したことになるが、眼のぱっちりした可憐な少女は、きらきらとまばゆいほどの美しい女に変貌していた。

「僕は田端《たばた》から乗車して、すぐきみに気付いたんですが、はっきり思い出せませんでした。女のひとって、こんなに変るものなんですかねぇ」

「わたくしはすぐにわかりました。タカモッちゃんはそんなに変ってませんね」

「これでも苦労してるんですけどねぇ」

「まだ学校ですか」

高望は詰め襟に身を包み、頭には学帽を乗せている。それも角のないまるみのある、ひと眼で慶応大学とわかる学帽だ。

「なんとか進級できそうです。四月でやっと四年です。親父の仕事を手伝ってますが、どっちが本業だかわからないくらい、学校へはあんまり行ってないんです」

高望は悪びれたところがなかった。

「学部はどこですの」

「文学部の国文科です。ろくに勉強しませんでしたから……」

「あら、素敵ですわ。タカモッちゃんが幼年学校にパスしたと聞きましたとき、軍人さんは似つかわしくないような気がしたんです」

「きみは東京女高師（現・お茶の水女子大）でしたね。秀才、いや才媛っていうんですか」

「美術科ですが、二年で辞めました。ほんとうは家政科に行きたかったんですが、父が強引で……。父が亡くなり、家計を助ける必要があったものですから。でも、それは言い訳です。ほんとうはわたくし勉強が嫌いなんです」

うつむき加減の正子の横顔に、ほのかに朱が差している。項《うなじ》の和毛《にこげ》がかすかにそよいでいた。

高望は胸が高鳴るほど、ときめいていた。

電車が赤羽駅に着いた。プラットホームの大時計は九時二十分を示している。

ホームで、立ち話になった。

「お勤めですか」

「はい。歌舞伎座に勤めてます。きょうは残業で遅くなりました。歌舞伎座サービスといいまして、歌舞伎座の売店や食堂などのサービス部門を受け持っている会社の社長秘書です」

「おもしろそうですねえ」

「歌舞伎を無料《ただ》で見物できることがとりえですが、仕事の内容は雑用ばかりで、そんなにおもしろいものではありませんわ」

「これ……」

高望が出し抜けに定期入れから、名刺を一枚抜き取って、正子に突きつけた。

「いただいてよろしいの」

「ええ。都合のいいときに電話をください」

名刺の肩書は〝株式会社啓発社取締役〟とある。

「まあ、重役さんですの」

「資本金一千万円の中小企業です」

「お父さまの会社でしょう」

「ええ。五年前に合資会社から株式会社に組織変更したんですが、取締役なんてえらそうな肩書がついてますけれど、親父の走り使いみたいなものです」

「今夜もお仕事ですか」

「いいえ。友達に借りていたノートを返しに行ってきたんです」

正子が時計を気にしたので、高望は歩き始めた。

「僕の家は岩淵町《いわぶちちょう》で、きみは赤羽町だから、そう近くはないけれど、でも同じ赤羽駅から通学したり通勤したりしてて、どうしていままで逢えなかったのかなあ。なんだか、ずいぶん損しちゃってたみたいな気がします」

正子は、気恥ずかしそうに眼を伏せた。きっと慶応ボーイでさわやかな男だから女性にもてるに違いない。少し調子がよすぎるようにも思えるが……。

「朝は何時に出勤されるんですか」

「始業時間は十時ですから、九時過ぎに家を出ます」

「そうですか。九時過ぎですか」

高望は弾んだ声で返し、しきりにうなずいている。

正子は、あくる朝、九時十分過ぎに赤羽駅の改札口で高望から声をかけられて啞然とした。

「九時に来て待ってたんです。きみは九時過ぎに家を出ると言ってたでしょう。安全をみて、九時前に家を出ました」

正子は、返事のしようがなかった。

「お出かけですか」

「ええ。学校へ行きます」

高望は、鞄を掲げて見せた。

ラッシュアワーはとうに過ぎていたので、座席はぽつぽつと空いていたが、二人並んで坐れなかったので、ドアに寄りかかるようにして話し込んだ。

「昨夜はほとんど眠れませんでした。きみのことばっかり考えてたんです」

「おじょうずばっかりおっしゃって。タカモッちゃんは、女の人にもてるんでしょう」

「ううん。ぜんぜん、ガールフレンドなんて一人もいません」

「そんな、うそでしょう」

「ほんとです。だいいち、忙しくて、そんなひまないですよ。二足の草鞋《わらじ》っていうんですか。僕は一人で二役《ふたやく》やってるんですから」

「………」

「それよりきみのことが心配です。恋人いるんでしょう」

高望は少し躰を寄せて心配そうに正子をうかがった。

正子はどっちつかずに首をかしげた。

思わせぶったつもりはないが、長兄にすすめられて先月見合いをしたばかりである。相手は銀行員だが、気に入られたとみえ交際したいと言ってきていた。

しかし、いまいち気が乗らなかった。

「おまえには勿体《もったい》ない」と兄に言われるまでもなく、東大出の秀才という触れ込みだし、家柄も申し分なかったが、いかにも実直そうなタイプのめりはりのなさが、なにかぴんとこなかった。

きのうの夕刻、仕事場に電話がかかり、デートを迫られ、いくぶんその銀行員を見直す気になったが、先約があると言って断った。

昨夜、高望と会ったときは見合いの相手を思い出しもしなかったのに、いまはのっぺりした銀行員の顔が眼に浮かぶ。しかし、仕方なく思い出したに過ぎない。

だからといって、高望に気持ちが傾斜しているなどということは断じてない、と正子はわが胸に言いきかせた。

「やっぱりいるんですか」

高望は、失望を声と顔にあからさまに出した。

「いいえ」

正子がかぶりを振ったときのうれしそうな顔といったらなかった。

「そう。よかった。僕はきみとの運命的な出会いについて、きのう一晩じゅう考えたんです。すごく偶然が重なってるんですよね。僕が友達に電話をかけなかったら、友達が留守だったら、その友達の名前は岡崎っていうんですけど、岡崎と会う時間が少しでもずれてたら……」

高望は、指を折りながら、弾んだ声でつづけた。

「岡崎の家で夕食をご馳走にならなかったら、高円寺の駅で十分ほど岡崎と立ち話をしなかったら、とにかく数え出したら際限《きり》がないほど偶然がたくさんかさなってるんです。まったく不思議なんです。それに柄にもなくどうして岡崎からノートを借りて勉強しようなんて考えたのか。僕はクリスチャンじゃないけど、こういうのを神のお導きとかなんとか言うんでしょうねぇ」

正子は辟易《へきえき》した。

高望の声が大き過ぎるのだ。それに、なにやら、いい気になり過ぎてるようにも思える。

正子はちょっぴり意地悪な気持ちになっていた。

「わたくし、先月、お見合いをしましたの。今度の日曜日に会いたいと言われました」

「…………」

「兄が莫迦《ばか》に熱心で……」

「断ってください」

高望が思い詰めたような顔でつづけた。

「お願いです」

正子は初めて胸がどきどきした。

結婚の相手は、背のスラッとした男でなければならないと思い続けていたのだが、高望の上背は自分と変らない。骨太でがっしりしていて、頼もしいとは思うが、そのイメージからはほど遠かった。ただ心に触れ合うものがある。あるいは、それは懐しさに過ぎないのだろうか。

「タカモッちゃん……」と言いかけて、正子は言い直した。

「高原さん、なんだかおかしいわ」

「僕は目茶苦茶なこと言ってますか」

「ええ」

「そうかなあ。まじめなつもりだけどなあ。率直であっていけないという法はないでしょう」

高望は、唇をとがらせている。

田端、日暮里《にっぽり》、上野《うえの》で乗客が増え、秋葉原《あきはばら》で満員になった。

二人の間に、人が割り込んできて会話が途絶えた。

有楽町《ゆうらくちょう》まであっという間である。

次の日も正子は、九時過ぎに赤羽駅の改札口で高望から声をかけられた。

「きのうも眠れなかった」

言われてみれば、心なしか高望の眼が腫《は》れぼったいように見える。

「わたくしのせいなんですか」

「そりゃあそうですよ。日曜日のデート、断ってくれました?」

「実は、おとといお断りしたんです。それに日曜日は出勤しなければなりません。夜はどうかと言われましたが、夜は母がうるさいんです」

「どんな人か知らないけど、絶対断ったほうがいいですよ」

高望の声がげんきんに浮き立っている。

「交際を、ですか」

「もちろん、そうです」

その日、高望は立ち寄りがあるからと言って、田端駅で下車した。ホームから盛大に手を振られたのには閉口したが、正子の気持ちはさわやかだった。

まさかと思ったが、三日目も高望は改札口で待っていた。

「やあ。おはよう」

「おはようございます」

「きのうは熟睡しました。最高にいい気分です」

笑顔の素敵なひとだわ、と正子は思った。

「きょうは学校へ行きます。田端までじゃ短くて、話した気がしませんよ」

この日は電車が空いていて、運よく並んで腰かけられた。

「昨夜、父と母にきみのことを話しました」

「……………」

「だって、正々堂々としてたほうがいいでしょう」

「どんなふうに話したんですか」

「小学生のときピアノ教室で一緒だったとか、いろいろです。母はきみのことをよく憶えてました。家に連れてくるように言われました。次の会社の休みはいつですか」

答えになっていないように思え、正子は一歩踏み込んだ。

「神さまのお導きということも話したんですか」

「もちろんです」

「そんな、困ります」

「きみに、そう言われるんじゃないかって気がしないでもなかったので、あらかじめ考えといたんですけど、いきなり恋人になってくれとお願いするのも気がひけるから、とりあえず後見人《こうけんにん》になってください」

「後見人ですかあ」

正子は、怪訝《けげん》そうに高望の顔を覗き込んだ。

「そうです。後見人です。僕はおっちょこちょいだから、きみのような後見人が必要なんです」

「後見人なんて、なんだか変です。あなたはご立派なご両親がいらっしゃるじゃありませんか」

「いいんです。いいんです」

高望はまじめくさった顔で手を振った。

なにがいいものですか、と喉元《のどもと》まで出かかったが、正子は口をつぐんだ。冗談に決まっている。そんなにむきになることはない——。

もっとも〝後見人〟はひと月ほどしか続かなかった。この間、二人は何度逢ったかわからない。

場所は、赤羽駅の改札口と決まっていた。

二十二歳の学生重役は、猫の手も借りたいほど忙しかったのかもしれない。

改札口とプラットホームで五分ほど立ち話をするだけのことも少なくなかった。

「きょうはきみの顔を拝みに来ただけなんです」

「後見人として申しあげますけれど、毎朝お見送りいただくのは心苦しく思います。それから学校のほうは大丈夫ですか」

「ご心配なく。後見人の顔を拝まないと調子が出ないんです。ご安心ください」

二人は、他愛のないやりとりをするだけで心が和んだ。

ときには改札口で高望を見かけないときもあったが、そんなときはあとで会社へ電話をかけてくる。

「申し訳ない。寝坊しちゃったんです。きのう仕事で半徹夜みたいなことになっちゃいまして。目覚ましを仕掛けておいたんですが、無意識に音を消してしまったみたいです」

「病気じゃなければよろしいのよ。やっぱり毎朝というのは気がひけます。三日に一度とか、せめて二日に一度になさったらどうでしょうか」

「そういうわけにはいきませんよ。じゃあ、またあした」

「さようなら」

いつしか正子は家を出る時刻を十分早めていた。高望が駅に九時ちょうどに来ているのに合わせていたのだ。

2

五月三日憲法記念日の祝日は、二人とも休みがとれたので初めて本格的にデートした。

高望は茄子紺《なすこん》のスーツに紺地のネクタイをつけていた。いつもは学生服だから、正子の眼に大人びて映る。

正子のほうは黒地のフレアースカートに白いブラウス、ショルダーバッグを下げ、手にカーディガンを持っていた。

遅い昼食を有楽町駅に近いラーメン屋で摂っているときに高望が言った。

「僕のことお母さんやお兄さんに話してくれました」

「ええ」

「きょうのことも」

「もちろんです。映画にお招きいただいたと話しましたわ」

「それだけですか」

「ほかになにか……」

正子は考える顔になった。

高望が頬をふくらませた。

「後見人のこと話してないんですか」

「そんな……。話せませんわ」

高望はなにか言いたそうに、咳払いをしたりもじもじしたり落着かなかったが、正子に話題を変えられてしまった。

「学校を出たあとも、ずっとお父さんのお仕事をお手伝いなさるんですか」

正子が現実的な質問を発した。

「そうなると思います。文学部だからたいしたところへは就職できないし……」

「新聞社とか出版社とか、考えたことありません？」

「教師の資格をとることは考えたことあるけど、ジャーナリストはないなあ」

「そう」

正子は伏眼になった。

「がっかりしたの」

「いいえ」

「親父の仕事を誰かが継がないと……。兄貴は親父のことを〝くず鉄屋〟とか〝くず屋〟とか言って莫迦にしてるから、親父のあとを継ぐなんて夢にも考えてないようだし、継ぐとしたら僕しかいないんです」

「お兄さんはお勤めですか」

「まだ話してませんでした？」

高望はごくっと水を飲んで、うれしそうにつづけた。

「兄貴は僕と違って出来物ですからね。三年前慶応の経済を出て、関西紡績に就職しました。将来の社長候補を自任してますよ。いや、自他共に認めてるかもしれないな。あの男のことだから、三十年後にほんとに大関紡《だいかんぼう》の社長になるんじゃないですか」

「…………」

「わが啓発社は、大洋自動車で発生したスクラップ、スクラップといっても自動車の場合、大変良質なんですが、スクラップの回収とか自動車工場に鋳造原料を納入するとか、自動車工場のもろもろの構内作業の請負いとか、けっこう手広くやってるんですよ。自動車工業はこれからぐんぐん発展すると思うんです。〝くず鉄屋〟なんていう言いかたは、失礼千万ですよ」

高望は眼を輝かせて夢中で話している。

わたしの気をひこうとしているのかしら、と正子は思ったが、そうでもないらしい。

「親父とも相談してるんですが、自動車の部品工場を経営する話も出てるんです。いつだったか、僕、田端で降りたことがあったでしょう。実はある部品工場を見に行ったんです。町のプレス屋ですけどね。でも、自動車工業の発展に伴って、部品工場も大きくなる可能性は大きいんじゃないかなあ」

正子にはなんのことかよくわからなかったが、自動車といえば、〝フォード〟とか〝クライスラー〟とか〝キャデラック〟などアメリカ産の乗用車しか頭に浮かばなかった。むろん、反論するにたる材料など持ちあわせなかったが、高望は夢を語っているに過ぎないのではないか――。

翌日、五月四日の夕刻、正子は会社で速達郵便を受け取った。

差し出し人はもちろん高望である。〝即日速達〟のスタンプが押してあった。通常郵便料十円、速達料二十五円で三十五円分の切手が貼ってある。初めての手紙が速達とは……。

胸が騒いだ。鋏で開封する正子の手がふるえている。

四百字詰原稿用紙に、ペン先の太い万年筆で書かれたやや右下がりのごつい字がマス目からはみ出して走っている。

前略、昨日言いそびれたことを書状に託します。お笑いになられても致《いた》し方《かた》ありません。用件はたった一つ。期限付きで結構ですから、〝後見人役〟から〝恋人役〟に代って戴き度いのです。

御返事は六日の夜、御承諾の趣きなれば、当日口に出して云々するのも妙なもの故、当日の座席のチケットを君自身の手で僕の上衣のポケットにお入れ下されたく、その行為の有無で御返答と致し度いと存じます。

事情の詳細に亘《わた》っての説明は総て御返答後にさせて戴く所存です。真意のほど聊《いささ》かなりとも御汲み取りあれ。

乱筆乱文を謝す。

五月四日朝　　高原高望

佐藤正子様

正子は吹き出したくなった。そう言えば、高望はきのう昼食のときも、別れ際もなにか言いたそうにもじもじしていた。

高望と交際している、と家で話したとき、母も長兄も不満そうだった。

「こないだの銀行員、惜しいことしたなあ」

「勤め人に限るのにねぇ。中小企業のおかみさんは苦労しますよ。正子の柄じゃないと思うけどねぇ」

聞こえよがしに話していた長兄と母のやりとりが思い出される。

正子は、五月三日に逢ったとき約束したコンサートのチケットに、メモを添えた。

〝お役目変更の件、承諾させていただきます。期限付きの意味、のちほどお教えいただけますか〟

〝期限付き〟が結婚までという意味であることは察しがつかないでもなかった。

3

梅雨が明け、うだるような酷暑が続く七月下旬のある朝、高原高望は、父の征太郎と田端にある丸山工業というプレス工場に出向いた。

丸山工業は、スプリングのジョイント部品、オート三輪、オートバイなどの部品を手がける町工場で、十七、八人の工員を擁し、中堅規模のプレス屋である。

創業社長の丸山が、どういうつてで征太郎と知り合うようになったのか、高望にはよくわからないが、啓発社から原料の鋼材やスクラップを分けてやったり、征太郎が手形を割り引いてやったりしているうちに、丸山工業が居抜きで啓発社に身売りすることになったのだ。

丸山は進駐軍にも出入りするなど、ひところ派手にやっていたが、経営に失敗し、征太郎が借金の担保にプレス工場を押えていたため、両者の話し合いで事業の継続を条件に、征太郎が経営権を掌握《しょうあく》することになった。

社長の丸山は四十五、六の恰幅《かっぷく》のいい男で小柄の征太郎と並ぶと、どっちが社長だかわからなかった。しかし、丸山がオーナー社長から取締役工場長に格下げされたことは紛れもない事実だった。

それどころか、まだ学生の高望にまで気兼ねしなければならない。

技術面、製造面のすべては、職工長の茅野光が取り仕切っていた。茅野は二十七、八歳の誠実そうな男だった。

征太郎から茅野を紹介されたときの屈辱感を高望は生涯忘れることはないと思った。

「茅野君、息子の高望です。こいつはまだ子供で、ひよっ子みたいなもんだが、せいぜい面倒みてやってください。きみにあずけますから、好きなように仕込んでやってくださらんか」

仮にもオーナー経営者の息子で、親会社の経営陣に名を連ねているのに、もうちょっと紹介のしようがあるはずではないか――。

八月一日付で、丸山工業は、啓発社に吸収され、啓発社田端工場と名称が変更された。

大学が夏休みなので、高望は連日、工場に通い詰めた。

出勤時間は八時だから、正子に逢えないのはつらいが、征太郎に厳命されていたので、工場の仕組みや技術の習得に懸命に取り組んだ。

図面の見方から、実際にプレス機の取り扱いまで、茅野の実地指導によって、すっかり呑み込むまでひと月とはかからなかった。

手に滲《し》みついた機械油の臭いが取れないのには閉口させられたが、子供の頃に習ったピアノに比べれば、はるかに単純で簡単な作業だった。高望は生れつき手先が器用で勘もよかったが、茅野に「望《もっ》ちゃんは一年もすれば一流のプレス工になれますよ」と褒《ほ》められたときは、なんとも名状し難い気持ちになった。

茅野は親しさを込めて「望《もっ》ちゃん」と呼んでいるらしいが、二人だけのときはいざ知らず、工員たちの前では、けじめを考えてほしいと高望は思わぬでもなかった。しかし、口に出すのも大人気ないから黙っていたが、「モッちゃん」に対抗する意味合いもあって、高望は「茅野君」と、君づけして呼んでいた。

当時、町工場に冷房など気の利いたものがあるわけがないから、全員ランニングシャツ一枚である。機械油にまみれたこんな姿は、正子に見せられたものではない、と高望は思う。

八月下旬に、高望は右手の中指を潰す怪我をした。プレス機械が落下する圧力で鋼材に型がつくられ部品が製造されるが、一瞬機械をよけ切れず指が触れたのである。

指先から痛みが走り気の遠くなるような胸苦しさを覚えた。爪の中が紫色に染まり内出血している。高望は思わず、うめき声を洩らして機械の前にうずくまった。近くにいた若い工員がそれに気づいて近づいて来たが、高望は左手を振りながら起ちあがった。

「なんでもない。たいしたことじゃないんだ」

高望は平静をよそおって作業を続けた。

しかし、疼《うず》くような痛みと吐きけはなかなか治まらず、たまりかねて洗面所へ走った。冷たい水で指を冷やせばいくらか、らくになると思ったのだ。

緊張感を欠いていたのだ。ごく初歩的なミスである。

その夜、高望が帰宅したのは十時過ぎだった。皆んなが残業しているときに、ひとりだけ帰るのは気がひけるから、ついつきあうことになってしまうのだ。

正子から手紙が来ていた。


暑い日が続きますが、お元気にお過しのことと拝察します。

私は少しく元気をなくしております。だって、〝後見人役〟がおりられて、ホッとしたと思いましたら、逆にあなたとお逢いする機会が、ガタ減りしてしまったんですもの。

もしかしたら、ひょっとして、と期待しつつ、そこらじゅうをキョロキョロ見回しながら、改札口を通り抜けるときの気持ちの切なさといったらありません。考えてみましたら、きょうで二週間もお目にかかっておりませんのよ。

まさか九月二十六日のあなたのお誕生日までお逢いできないなんてことにはならないと思いますけれど……。

もしや、ほんとうに期限付きの〝恋人役〟だったのかしら、などと気を回しかねないほど、あなたにお逢いしたい気持ちで一杯です。

それから卒論のことを心配されてましたが、そろそろ準備なさったほうがよろしいのではないでしょうか。お手伝いできるとうれしいのですが。

高望は、指の痛みをこらえて返事を書いた。

右手の中指がずきずき痛んで、手に力が入らずひどい字になりますが、御容赦願います。プレスで右手の中指を潰してしまったのです。爪を含めて指先が紫色に腫れあがっており、このぶんでは生爪が剝がれるかもしれません。

水に漬けておくと少し痛みがやわらぎますが、こんなことなら医者に行くべきでした。従業員に笑われるのは厭ですし医者にかかるのは大袈裟かと思って、工場でも誰にも言わず内緒にしてたのですが、そのぶん君に甘えさせてもらいます。

不注意、緊張感の欠如以外のなにものでもありません。はっきり憶えてませんが、おそらく君のことを考えていたのでしょう。

僕も、君にお逢いしたくて仕方がありません。毎日、君にお逢いできればどんなに幸せかと思います。

しかし、いまは試練の時であり、あんまりいい気にならず辛抱しなければいけないと、我が胸に言い聞かせております。

父はプレス工場の経営をゆくゆくは僕にまかせる肚《はら》づもりのようです。だとしたら初めが肝心です。従業員の気持ちをしっかり摑む必要があり、そのためには、率先垂範、現場のことが分るまで、せめて夏休みの間はプレス工になり切るべきだと考えたわけです。僕はもともと機械をいじったりするのが得手にできてるようです。この一ヵ月ほど頑張ったお陰で、職工長が舌を巻くほど腕を上げました。僕に対する従業員の目も心なしか変ってきたように思えます。少なくとも初めのうちは青っちょろい学生と見られていたはずです。

プレス工場のこともずいぶん分ってきました。左前になったのは、放漫経営によるものです。仕事量は結構多いのに、現工場長の元経営者が派手好きで、交際費の使い方なども乱脈だったのです。この人は丸山という人です。

お目付役みたいに見えるのか、だいぶ僕が煙ったいようですが、僕が現場の仕事から入ったことは、少なからず職場に好影響をもたらしたと自負しています。もっとも偉そうなことは言えません。僕自身の発想ではなく、父の考え、指し図によるところ大なんです。しかし、父の読みはさすがだと思います。すっかり見直しました。

もうすぐ九月です。九月に入ったら、君にたくさんお逢いできると思います。

ここまで書いて、高望は万年筆を放り出した。指の痛みに堪えられなくなったのだ。高望はそっと階下へ降りて行った。

水道の水で冷やした。真夏だから、ぬるま湯のようだったが、それでもいくらか痛みがやわらぐ。

いま、指を水で冷やしてきたところです。もっと書きたいことがたくさんありますが、今夜はこのくらいにしておきます。

おっと、忘れるところでした。卒論のこと大いに気になってます。クラスメートと、君の力を借りなければまとめられないことは百も承知しており、くれぐれもお見限りなきよう願い上げます。

もうひとつ、

九月二十六日まで君にお逢いできなかったら、僕は間違いなく気が変になると思います。九月まであと五日です。あんまり自信はありませんが、あと五日ならなんとか我慢できるでしょう。

八月三十一日で、晴れて学生に戻れます。

4

九月に入っても、二人のデートはままならなかった。

プレス工場でひと騒動もちあがったのだ。

工場長の丸山と職工長の茅野の対立が発端である。対立というより丸山のほうが一方的に仕掛けたのだ。

工場長といっても、丸山は現場にはうといので、実質的には茅野が取り仕切ることになる。それが丸山にはおもしろくなかった。交際費を大幅に削減されたため、以前のように遊び回るわけにもいかず、丸山は無聊《ぶりよう》を託《かこ》っていた。征太郎の方針で営業も若い者にまかせ始めていたので、丸山の出番は減少する一方である。

九月に入って間もなく丸山は、些細《ささい》な技術上のミスをあげつらって、茅野を馘首《かくしゅ》すべきだと征太郎に訴状を出した。

征太郎は、問題の処理を高望にまかせた。

高望は、ある夜、田端駅に近い汁粉屋に茅野を呼び出した。

ぜんざいを食べながらの話になった。茅野も下戸に近く、甘いものに目がない。

「工場長とうまくいってないみたいですねぇ」

「そんなこともありませんけど……」

茅野は言葉をにごした。

「仕事がやりにくいようなことはないですか」

「ええ。ありません。丸山さんとは長いつきあいですから」

それにしては、丸山の訴状は過激だった。〝茅野を辞めさせなければ、自分が辞める〟とまで手紙に書いてきたのだ。

「丸山さんが会社を辞めたら、どうします」

「そんな話があるんですか」

「いや……」

こんどは高望のほうが言葉をにごした。

「若いやつがちらっとそんな話をしてましたけど、あの人、一度失敗してるんですからねえ」

「そうすると、僕は知らなかったけど、そういう可能性もあるわけですね」

「さあ、まったくないとは言いませんけど……」

茅野はしきりに首をひねっている。

高望は、征太郎に対する丸山の直訴をにぎりつぶすことに決めた。

征太郎に、その話をすると、「いいだろう。職工長は現場の要《かなめ》だから大事にしろ。それで丸山が辞めるんなら、仕方がないじゃないか」

と、高望の判断を支持した。

まさか、と思っていたが、丸山は九月二十日付で、あっさり会社を辞めてしまった。

しかし、従業員の間に動揺はないように見えた。

九月二十六日の朝九時に茅野から高望に電話がかかった。

この日は土曜日だったが、正子が有給休暇を取れたので、正午に王子駅で逢瀬《おうせ》の約束ができていた。

「工場に四人しか出勤して来ません。一時間待ったんですが、なんにも連絡してこないところをみると、無断で会社を辞めたんだろうと思います」

いつも悠揚《ゆうよう》迫らぬ茅野も、さすがにおろおろ声だった。

「すぐ工場へ行きます」

電話を切った瞬間、高望はその日が自分の誕生日であることも、正子との約束も失念してしまった。

狭い工場の事務所で、高望と茅野が深刻な顔で向かい合ったのは十時を過ぎたころだ。

「ものの見事にやられました。わたしが甘かったんです。望ちゃんに迷惑をかけてしまって、お詫びのしようもありません。もう少し利口に立ち回れば、防ぎようもあったんですが
……」

「それにしても、敵ながら天晴れじゃないですか。ずいぶん前から周到に準備してたんでしょうね。実は、丸山のやつ職工長を辞めさせせろ、と言ってきたんです」

「えっ！」

茅野はきょとんとした顔で、高望を見やった。

「茅野君が気を悪くしてもなんだと思って、黙ってたんです。ひと月近く前だったかな、取るに足らないきみのミスを指摘して、強硬にクビにしろって親父に手紙をよこしたんです。茅野君を辞めさせないんなら自分が辞めるって凄んでたけど、本気だったんだなあ」

茅野はくしゃくしゃに顔をゆがめた。

「そうすると、わたしが辞めてたら、こんなことにはならなかったんでしょうか」

高望は腕組みして、考える顔になった。

「そんなことはないんじゃないですか。丸山の狙いは、このプレス工場をガタガタにしたかったんじゃないかなあ。多分、いいスポンサーを見つけたんでしょう。新しいプレス工場をやるつもりで、計画的に十三人の工員に呼びかけたんですよ。茅野君が辞めてたら、この工場のダメージはもっと大きいわけですから」

「…………」

「考えてみると、自分の工場で使ってた人たちを連れてったわけだから、そう罪は深くないですよ」

「あのう、十三人とも……」

茅野が言いにくそうにつづけた。

「会社に前借があります。七月から八月にかけて集中してるんですが、決裁したのは丸山です」

「なるほど、それも計画的ですか」

「初めから踏み倒すつもりだったんですね。月々少しずつ返済するようになってますが、全部合わせると二十万円を越えます」

茅野は悔しそうに唇を噛んだ。

「二十万円ねぇ……」

高望はちょっと間を取ってから、茅野に笑いかけた。

「いいじゃないですか。だますよりは、だまされるほうがずっとましですよ。この工場がある限り、挽回可能だし、親父がなんと言うかわからないけれど、啓発社はけっこう余力がありますから、この工場をたたむようなことにはならないと思います」

茅野の表情が和《なご》んだ。

「残ってる四人の仕事ぶりはどうですか。僕は自分のことに夢中で、人のことまで気が回らなかったけど……」

「四人とも仕事はできます。わたしが直接採用したものばかりです。四人とも蚊帳《かや》の外に置かれてたのは、わたしの耳に入ることを丸山たちは警戒したんだろうと思います」

「そうですか、皆んな腕が立つんですか。それはなによりです。当分は少数精鋭でいくしかないですね」

あとでわかったことだが、丸山は北千住《きたせんじゅ》でプレス工場を経営し、いち時は八十人の従業員を擁するまでに拡張するが、生得の派手好きがわざわいして、結局長続きしなかった。

昼前に、征太郎が顔を出し、三人で駅前の蕎麦屋《そばや》へ行き、天ぷら蕎麦を食べながらの話になった。

征太郎が下した結論は、半年間頑張って赤字が続くようなら考え直そう、というものだった。

話が長くなって、工場に戻ったのは三時過ぎである。

正子から三度も電話がかかってきた、と若い女子事務員に知らされて、高望は大いにうろたえた。

「最後の電話は十分ほど前でした」

「なんと言ってました」

「たしか、きょうは帰りますって……」

「まいったなあ」

「どうしたんですか」

茅野に顔を覗き込まれて、高望は一層どぎまぎした。

「まさか、きょう呼び出されるとは思わなかったからねぇ。僕の二十三回目の誕生日なんです。人と会うことになってたんですけど、すっかり忘れてました」

まだ正子の家に電話がなかったので、連絡をとりようにもとれない。正子はどんなに傷ついているか――。そう思うと、居ても立ってもいられない気持ちになる。

「すみません」

茅野にあやまられる筋合いではないが、やっぱりうらめしかった。

その日は、今後の仕事の打ち合わせやら、伝票の整理やらで十時過ぎまで残業した。

あくる日、日曜日の朝、高望は八時五十分に家を出た。

出がけに、隆子がじろっとした眼をくれて言った。

「佐藤さんと逢うんだろう」

「いや、友達にノートを借りに行くんだ」

高望は、胸中を読まれていることに反発して、素直に肯定できなかった。

「ふーん。きのう電話があったよ。一時ごろだったかな」

「………」

「おまえも大変だねえ。学校と工場とその上……。おちおち恋人にも逢えないなんて。可哀想にねぇ」

同情してくれているようには取れないが、母が情緒不安定になっていることだけは察しがつく。昨夜、征太郎は家に帰らなかった。

高望は、赤羽駅の改札口で正子を待った。正子の公休日は月曜で、日曜日は出勤日である。

「きのうはごめんなさい」

高望は、正子と顔を合わせるなり最敬礼した。

「田端のプレス工場で集団脱走みたいな事件があったものだから、遅くまでてんてこ舞でした。きみのことを思うと気が気じゃなかったけど、どうにも手が離せなくて……」

いくらなんでもデートを忘れたとは言えなかった。

「有楽町までつきあいます」

高望は先に立って歩き始めた。

正子は、恋人との約束をすっぽかすほどの用事があるとは考えられなかったから、昨夜は眠れないほど口惜しい思いをしたが、いまは不思議に気持ちが平静になっていた。

「お誕生日のプレゼントよ」

正子がプラットホームでデパートの包装紙に包んだ二十センチ四方の四角い箱を差し出した。

「ありがとう。きのうは誕生日どころではなかったし、家の者にも祝ってもらえなかったが、これで元気が出てきそうだ」

高望の笑顔を見て、正子はすっかり機嫌を直していた。

「僕が駅にあらわれることはわかってたわけだね」

「当然でしょう。わたくしはきのう三時間も待たされたんですよ」

「ごもっともです。なんなら罪ほろぼしに、会社が終るまで待ってましょうか」

高望は頭をかきながら、冗談ともつかず返した。

日曜日のせいか電車はすいていた。

「これ、あけていいですか」

「どうぞ」

高望は膝の上で、器用な手付きで包みをひらいた。箱をあけると、赤いベレー帽をちょこんと頭に載せた小犬の人形だった。

「可愛いなあ。きみと話したくなったら、このワン君と話せばいいんだな。僕の宝ものにします」

「…………」

「十一月三十日のきみの誕生日にはなにをプレゼントしようかなあ。いまから考えておきます」

電車が田端駅に停車した時、高望がホームのほうへ首をねじりながらつぶやいた。

「帰りに寄るかなあ」

「工場、日曜なのにお休みじゃないんですか」

「うん。茅野君たちは出勤するようなことを言ってた。手が足りないからね。契約で取ってる仕事もあるから、納期だけは守らないと」

「プレス工場、そんなにたくさんの人が辞めて、やっていけるんですか」

「半年間頑張って赤字が続くようなら閉鎖しようってことにしたんです。茅野君と昨夜遅くまで話したんだけど、父は僕ら二人にまかすっていう感じなんで、責任重大なんだ」

「学校はどうするんですか」

「もちろん退学する気はないが、いままでよりもっとサボらざるを得ないと思う」

「卒論どころではないわね」

「なんとか頑張るつもりだけど、単位が取れるかどうか自信がないな」

そのとおりになった。

プレス工場の経営が高望の本業になり、学生は従で登校する日が極端に少なくなった。

翌年三月に高望は単位不足で卒業できず、留年した。

5

九月二十七日の夜八時過ぎに外出先から帰宅するなり、征太郎は高望を応接間に呼びつけた。

征太郎は、興奮を隠さず、うわずった声で言った。

「大洋自動車の全工場が生産を再開するぞ。労使紛争が終結したんだ」

大洋自動車は五月二十五日以来、労働組合が大幅な賃上げを経営側に要求したことに端を発した、労使紛争が長期化していた。組合の要求どおりに計算すると当時の大洋自動車社員の平均給与二万九千七百七十五円が五万三千円となり、一挙に七八パーセントもの大幅な賃上げを招くことになる。

経済状況や会社支払い能力を無視した要求を経営側が呑めるわけはなかったが、組合は就業時間中の職場大会、サボタージュ、組合役員以外の組合員の団体交渉場への動員、各部長に対する職場交渉の強要などによって、経営側にゆさぶりをかけた。

経営側は就業時間中の組合活動に対する賃金支給の停止、部課長が不就業時間のチェックを行ない、組合員だった課長および課長待遇者を非組合員とするなどの諸点を組合に申し入れたが、これに反発した組合は不就業時間記録の停止を指令した。

こうした中で、組合員であることの矛盾を痛感していた課長たちは、本社、工場を問わず、ほとんどの者が組合に脱退届を提出、経営補助者としての立場を明確に打ち出すことになる。

組合は七月十七日以降、職場単位の無期限ストに突入。ラインと称する自動車の組立て作業は停止され、自動車の生産は全面的にストップするに至った。

文字どおり泥沼の労使紛争である。

経営側は八月二日、ついにロックアウトを宣言、五日から、横浜、鶴見、吉原などの各工場を閉鎖し、臨時休業に入った。

このとき経営側にあって、リーダーシップをとったのは、産業銀行広島支店長から大洋自動車に転じた専務の川瀬弘である。

川瀬は、「組合の言いなりになっていたら会社は潰れてしまう。組合側が法外な要求を撤回しない限り争議の収束はない。勝つか負けるかで、中途半端な妥協はすべきではない。敗れれば経営側は総退陣も辞さない覚悟で臨むべきだ」として、ロックアウトを強硬に主張した。

社長の浅岡和雄もこれに同調、経営側は会社を守るためにぎりぎりの経営決断をくだしたと言える。

組合内で、闘争至上主義の組合指導部に対する批判勢力が台頭するのもこの頃である。

このまま階級闘争、ストライキに明け暮れていたら会社は倒産する――という危機感は川瀬など経営者にとどまらず、大学卒のエリート社員の間にもひろがっていた。昭和二十四年に入社した三宅進《みやけすすむ》をリーダーに、約四十人のエリート社員で組織した自動車産業研究会は、経営側とも極秘裡に連絡をとりながら第二組合の結成を準備していたが、八月七日、組合員有志代表の名の下に声明書を発表し、公然と組合幹部を批判した。

〝会社を敵と考えるべきではない。むしろ闘争激発主義のほうが労働者の敵ではないか〟とするアピールは、多くの組合員の気持ちをつかんでいく。

八月三十日、横浜工場の有志五百人が新しい労働組合の結成大会を開いた。委員長には三宅が就任したが、五百人の中に後年、〝大洋自動車のドン〟の異名を取る塩野三郎が入っていた。

塩野は、大洋自動車に二十八年四月に中途入社して組合専従になり、長い間、三宅のカバン持ちをやっていたが、三宅の引きでやがては自動車労連の会長にまで昇り詰めるのだ。

ところで、三宅たちが第二組合結成に際して掲げたスローガンは次のようなものであった。

一、真に組合を愛する者は真に企業を愛する
一、明るい組合、明るい生活
一、真に自由にして民主的な組合は独裁者を生まない
一、労働者へのしわよせを排除した真の合理化
一、働き甲斐のある賃金を闘いとれ
一、経営協議会の強化と職能人の活用
一、生産性の向上による源泉を確保しての賃上げ
一、日共のひもつき御用組合の粉砕

経営側は、新組合の団体交渉権を認め、九月二十一日、就業時間中の組合活動に関する会社提案どおり協定書に調印、約四ヵ月に及んだ労使紛争は解決した。同月末、全工場の生産が再開されたのを機に、雪崩《なだれ》現象を呈して新組合への加入者が続出した。

征太郎が見事に剃り上げた頭を撫で回しながら、話をつづけた。

「労使紛争がこれ以上続くようだと、啓発社なんて吹けば飛ぶような存在だから、ひとたまりもないと思ってたんだ。われわれ大洋自動車の協力工場の団体である大洋協力会は、組合批判の声明を発表したり、それなりに行動してきたつもりだが、いくらわしたちがじたばたしたって大勢に影響はないが、なるほど第二組合っていう手があったんだなあ。内部から崩壊するっていうか、切り崩す手があったんだよ」

「このまま泥沼紛争が続くようだと、大洋自動車の経営危機が深刻化してたかもしれませんね」

高望の声もうわずっている。

「協力会の経営者の中には、本気で大洋自動車が潰れてしまうと思っていた者もいたからな」

「それにしては、お父さんは落着いてましたね。田端のプレス工場から集団脱走みたいなことがあったのに……」

「そう見えたとしたら、痩我慢《やせがまん》かやけくそみたいなもんだ。田端のほうは目下のところ大洋自動車とは無関係だから、万一、大洋自動車がおかしなことになっても田端を拡張すればなんとかなると思ってたのに、あんなことになって、泣きっ面にハチみたいなものだよ。大洋自動車のラインが動き出せば、赤羽のほうは仕事がいくらでもあるが、田端はどうかねえ」

「そのことで、お父さんに相談したいと思ってました」

高望は、腕まくりしてたワイシャツの袖をおろしながら、肘掛け椅子から、長椅子に坐っている征太郎のほうへ躰を寄せた。

征太郎は、麻の背広に身を包んでいる。夜になって気温が下がり、ワイシャツ姿の高望は少し肌寒かった。

「きょうも、茅野君とプレス工場でいろいろ話したり調べたりしたんですが……」

「日曜日だというのに出かけたのか」

「危急存亡の秋《とき》ですから」

高望が真顔で返すと、征太郎は皮肉とでもとったのか、むすっとした顔で言った。

「わしも遊んでたわけじゃない。大洋自動車の幹部の人たちに会って、労働争議について情報を集めてたんだ」

「ええ。そう思ってました」

「うん」

征太郎はバツが悪そうに、あらぬほうへ顔を向けている。

「プレス工場のお得意さんの半分以上は、丸山のほうへなびく可能性があると思います。工員の数が減ったのだから、それでもいいようなものですが、あのプレス工場を発展させていくためには、大洋自動車の部品工場にする必要があると思うんです。東京発動機の下請けの下請けみたいな仕事が主力でしたが、これからは三輪オートバイは売れなくなるんじゃないかっていう気がするんです」

「それはおまえの意見か」

眼鏡の奥で、征太郎の眼が光を放った。普段でも眼光は鋭いほうだから、射竦《いすく》められたような思いにとらわれるが、高望は視線を逸《そ》らさなかった。

「茅野君の意見です。しかし、僕もそんな気がします。それと国産乗用車が売れる時代が来るんじゃないですか。これは僕の意見です。大型の外車は、日本の道路にマッチしてませんもの」

高望はぐいと顎《あご》を突き出した。

このことは、旧丸山工業を初めて見学したときに、直感的に思ったことである。自動車工業は急速に発展する、という意味のことを正子に話した記憶もある。

「田端のプレス工場も一応は自動車の部品工場の端くれということになるんでしょうが、乗用車を手がけるべきですよ」

「おまえは、ずいぶん簡単に考えてるようだが、仮に、大洋自動車から仕事を取ってきたとして、あの程度のプレス工場でこなせると思うか」

「思います」

高望は間髪を入れずに答えた。

「設備投資なしでか」

「いまのままでも対応できないことはないでしょうが、そりゃあ新しい機械を入れたほうがベターですよ」

「工員の問題はどうする」

「待遇さえよくすれば質のいい人がいくらでも集まりますよ」

「茅野に現場をまかせて大丈夫か」

「あの人は頭がキレて管理能力もあるし、プレス工としても一流です。及ばずながら僕も頑張りますよ」

「わかった。考えてみよう」

征太郎は頭をつるっと撫であげた。

工員の集団離脱は、田端のプレス工場にとって結果的に幸運をもたらすことになる。

昭和二十八年は、英国オースター社との技術提携によるオースター型乗用車A40、A50の一号車が相ついでオフラインした年であった。

つまり大洋自動車は労使紛争の収拾後、オースター車を軸に生産を再開、これを契機として生産が飛躍的に向上、エポックを画することになるが、啓発社田端工場も大洋自動車圏入りし、名実共に大洋自動車の下請部品工場として再出発したのである。

高望や茅野たちは、英国のオースター社から送られてくる部品の図面がインチを単位にしているため、ミリへの換算で苦労したが、丁寧な仕事を第一義的に考え、無理な受注をしなかったことで大洋自動車の購買部門に信頼され、逆に工場の拡張を要請される結果に結びついたのである。

「一度決めたことだから半年間の赤字は仕方がないが、それ以上はゆるさん」

新たに相当な投資もしただけに、征太郎は厳しかった。

高望は必死に頑張った。十月から十二月までの登校日数は、なんと五日に過ぎなかった。

田端工場は三ヵ月目に黒字基調となり、以後業績は急カーブを描いて上昇する。

高望が大学を卒業したのは昭和三十年三月だが、その年の五月に正子と結婚した。

三十三年三月、田端に第二工場を建設したのを機に、啓発社から分離独立し、社名を啓発社製作所と改称、高望は副社長として、経営をまかされることになった。

第三章　同族会社

1

そんな莫迦な、と思わずひとりごちて、あわててあたりを見回したが、こっちを見てる者は誰もいなかった。

高原高望がわが耳を疑うのはもっともと言えた。

兄の征一が関西紡績を三月三十一日付で退職して、日本ベアリング（ニチベア）に専務として入社する、というのである。

しかし、父親で、ワンマン社長の高原征太郎が、新工場の竣工式の席上で、そう明言したのだから、もはや動かしようがない——。

高望は血液が逆流して身内が火のように熱くなった。

「なお高望には啓発社製作所の社長に専任してもらいます。啓発社製作所は、モータリゼーションの発展に伴って、その前途は洋々たるものがあります。大いに頑張って啓発社製作所を大きくしてもらいたいと思うてます」

征太郎は赭《あか》ら顔を真っ赤に染めて、しめくくった。

司会役の総務部長に促されて、征一がうすら笑いを浮かべながら高望に視線を投げてから、マイクの前に進み出た。

高望は顔をそむけた。ふつふつと胸の中がたぎっていた。

「わたくしは昭和二十五年三月に慶応大学経済学部を卒業致しました。そのときの総代はわたくし、高原征一です。首席で卒業したわけではないのですが、学生自治会の委員長職や応援団の団長の要職にありまして、リーダーシップを発揮してきた経歴が買われたからこそだと自負しております。名門企業の関西紡績で将来を嘱望され、次代を担う社長候補として自他共に認めていたわたくしが、そういっちゃあなんですけれど、町工場に毛の生えた程度の日本ベアリング工業に何故入社したのか、不思議に思われるかたもおられると思います。社長である父高原征太郎に、関紡《かんぼう》を辞めて、仕事を手伝ってほしいと頭を下げられたこともありますが……」

征一はぐっと抑揚をつけて、オクターブを高めた。

「日本ベアリング工業を、世界的な一流企業に育てるのが、わたくしの使命だと考えたからにほかなりません。わたくしは、この会社を世界的にも一流の企業にするために身命を賭して取り組む覚悟でございます。従業員の皆さんも決意を新たにしていただきたい……」

兄弟共に地声の大きさは父親譲りである。

征一の声は、抜けるように甲高いが、高望のそれはハスキーで錆声《さびごえ》に近い。

征一の自己顕示欲の強さ、唯我独尊ぶりには、子供の頃からついていけないという思いを抱き続けていたから、さして驚かないが、それにしても関紡では社長候補と自他共に認めているとは、思いあがりも甚だしい、思い込みもきわまれりではないか——。それも内々の席ならまだしも、自治体や地元の有力者、取引業者など関係者を多数招いているのだから、いわば公式の席なのだ。

皆んな白けているのか、度胆を抜かれているのかわからないが、パーティ会場は水を打ったように静まり返っている。

甲走《かんぱし》った征一の声だけが白々と会場に流れ、なにかしらちぐはぐな印象を与えずにおかない。そう思うのは、俺だけなのだろうか。俺がひがみっぽいのか——。

いくら父親の会社の竣工式とはいえ、三月中旬の平日に関西紡績の平社員が会社をサボって大阪から上京してくるなんておかしいと思っていたが、この会社の専務に就任することが決定しているのなら、納得できる。

だが、俺に対して事前にひとことの挨拶もしないという法はない。ひとをこけにするにもほどがある——。

父も兄も赦《ゆる》しがたい、と高望は怒りと不信感を募らせていた。

征一はまだしゃべりつづけている。なるほど学生時代に応援団長で鳴らしただけに、演説はお手のものだが、話がくど過ぎる。それも、関紡での功績をくだくだと並べ立てているだけのことで、わずか九年在籍しただけのちんぴら社員が黄色い嘴《くちばし》でわらわせるな、と高望は肚の中で毒づいた。

本来なら、マイクの前に立つのは、俺でなければならなかったはずなのだ——。

やっと征一のスピーチが終った。

百人ほどの出席者のほとんどは、義理と追従《ついしょう》で仕方なく拍手しているように、高望の眼には映った。

そんな中で、母親の隆子が夢中で喝采を送っている。高望は、壇上の征一を見上げる上気した隆子の横顔を屈辱感を嚙みしめながら見つめていた。

母が父を焚きつけて、兄を呼び寄せたのだろうか。征一びいきの隆子のことだから、あり得ないことではない——。

高望は、パーティが始まる前に、黙って会場を抜け出した。

受付でコートを受け取るとき、係の若い女性が心配そうに訊いた。

「お帰りですか」

「ええ。ちょっと気分が悪いので、先に失礼します」

「お車をお呼びしましょうか」

「いや。たいしたことはないので、心配しなくてけっこうです」

高望は無理に笑いかけた。

できることならやけ酒といきたいところだが、アルコールは一切受けつけない体質だから、それもままならぬ。下戸も父親譲りで、征一も同様だった。

結局、北区志茂《しも》の自宅に帰るしかなさそうだった。妻子の顔を見れば、少しは気持ちがやわらぐかもしれない。

三月中旬にしては風が冷たかった。

高望はコートの襟を立てて、田舎の畦《あぜ》道をバス停に向かって急ぎ足で歩いた。猪首でずんぐりした体型も父親から受け継いだが、顔立ちはまるみを帯びて柔和である。父も兄も、眼光鋭く、ひとくせありげな面構えだが、高望は眼がやさしかった。

だが、いまはやさしさが殺《そ》がれ、仏頂面である。

昭和五年九月生れの高望は、満二十八歳で、征一より三歳下である。

陸軍幼年学校から、兄と同じ慶応大学に進んだが、大学時代から父親の仕事を手伝い、赤字会社の自動車部品会社、啓発社製作所の経営を再建したことによって、征太郎に信頼されていたはずなのに、きょうの仕打ちはそれがひとりよがりに過ぎなかったことを示しているように思えてくる。

征一は、父親を〝くず鉄屋〟呼ばわりして莫迦にしていたのに……。

関紡に就職が内定したとき、征一は、高望に向かって誇らしげに言い放ったものだ。

「俺は痩せても枯れても親父の跡を継ぐようなことは考えていないからな。俺ほどの男がくず鉄屋風情ではあんまり可哀想じゃないか。くず鉄屋はおまえにまかせるよ」

「くず鉄屋はひどいよ。せめて鋼材・スクラップ業と言ってもらいたいな。兄貴にとって啓発社は、舞台が狭いかもしれないけれど、親父の夢は啓発社を大きくすることなんだから、力を貸してあげればいいのに」

「莫迦言うな。親父だって、内心は俺が関紡の入社試験にパスしたことをよろこんでるさ。俺の夢は、そんな程度のものじゃない。石に齧《かじ》りついても関紡の社長になってみせるよ」

〝大学は出たけれど……〟と言われた就職難の時代に、一流企業の入社試験にパスした征一に、高望は羨望の念を禁じ得なかったが、征太郎の片腕として、一流企業とはゆかないまでも啓発社を立派な会社にしてみせると、心に誓ったことをきのうのことのように思い起こす。ひと昔近く経つのに、征一の豪語がまだ鮮明に耳に残っているせいか、高望には舌の根も乾かぬうちに、といった感じにさえ思えてくる。

征一が、父親を称して〝くず鉄屋〟と言ったのは、啓発社がまだ自動車部品製造業に乗り出す以前のことだ。

啓発社は、昭和九年三月に大手自動車メーカー、大洋自動車の出入り業者として、高原征太郎によって設立され、大洋自動車の工場の構内作業、発生スクラップの回収などを業務として伸びてきた。鉄くず屋にもピンからキリまであり、自動車関係は最も良質なくず鉄だから、ピンの部類に入るし、大洋自動車のスクラップ回収を一手に請負うことで、征太郎は財を成したのである。

征太郎は、昭和二十八年八月に自動車部品メーカーの丸山工業を買収し、啓発社の全額出資子会社、啓発社製作所として発足させ、その経営を次男の高望にまかせた。

さらに一昨年、三十二年の春、征太郎はベアリングメーカーである日本ベアリングの経営に乗り出したが、浦和に鉄筋コンクリートの本格的な本社工場を建設するに際して、高望に現場の指揮をとらせた。日本ベアリングは資本金二千万円、従業員七十人の中小企業だが、征太郎が創業者から買い取ったのである。

高望はこの一年間、寝食を忘れて工場の建設に取り組んできた。日曜も祝日も返上し、早朝から深夜まで、働き詰めに働いた。

啓発社製作所の経営をまかされていたので、仕事量は確実に倍加し、人の二倍働かなければ追いつかなかったのである。

2

玄関のベルを押しても応答がなかった。

高原高望は、顔をしかめながら背広のポケットをまさぐって、キイを取り出した。

時刻は午後三時を回ったところだ。妻の正子は、一人娘の佳子を連れて買い物にでも出かけているに相違ない。佳子は二歳半で可愛い盛りだ。

二人が留守をしていたことで、高望の気持ちは一層ささくれだった。

妻は玄関まで夫を出迎えるものと決めてかかっている高望は、仕事で帰りが深夜になっても、玄関で正子の顔を見ない限り靴を脱ごうとしなかった。しかし、留守では仕方がない。

二階の寝室でワイシャツ姿のままふて寝している高望を正子と佳子が起こしに来たのは三時半だから、高望が帰宅して三十分しか経っていないのに、ずいぶん待たされたような気がした。

「あら、パパお帰りになってるわ」

正子の声が聞こえたとき、高望はベッドで上体を起こしかけたが、思い直して布団をかぶって狸寝入りを決め込んだ。

「パパ、どうなさったの」

「パパ、どうちました」

おしゃまの佳子が掛布団を剝ぐのを手伝って、高望の顔をのぞき込んだ。

「ちょっと気分が悪いんだ。しばらく寝かしといてくれ」

「風邪を引いたのかしら。お熱はどうですか」

正子が美しい顔を翳《かげ》らせて、ひたいに手を触れようとするのを払いのけながら、高望が首を振ると、佳子までがいやいやをした。

「熱なんかないよ」

高望は、布団を頭が隠れるまで引っ張り上げた。

「お食事はどうなさいますか」

「…………」

「七時ごろでよろしいですか」

「うん」

うるさそうな生返事を聞いて、正子は佳子の手を引いて退散した。

会社でなにかあったのだろうか。きょうは遅くなるので夕食はいらない、と言って家を出たのに、こんなに早く帰って来たのだから、と正子は思った。

正子が七時に寝室を覗いたとき、高望は眠っていた。空腹時の高望は機嫌が悪いから、食事を摂らせたほうが無難だと思いながらもよく眠っていたので、そのまま起こさなかった。

ここのところずっと残業が続いていたし、徹夜になることもあったので、疲労がたまっているに違いない——。

高望が階下に降りて来たのは十時過ぎで、佳子が寝た直後である。

布団をかぶって寝ていたせいか、瞼《まぶた》が腫れぼったかった。

「すぐに食事になさいますか。お風呂はよろしいの」

「うん。パーティでなんにも食べなかったから、お腹が空いたなあ。食事にしようか」

正子は、手際よく仕度にかかった。酒をやらないせいか、食《く》い道楽に近いほど料理にうるさい高望も、正子の家庭料理には点数が高かった。

食事をしているときの高望は、こっちがうれしくなってくるほど「美味しい」を連発して笑顔が絶えないのに、今夜は張り合いがないことおびただしかった。白身魚のホイル焼きにも、うどと海草のあえものにも、手をかけたつもりなのに、さっぱり反応がなく機械的に口に運んでいるだけで、心ここにないことが見てとれた。

「美味しくありませんか。自信作なんですけれど……」

正子に催促されても返事をしなかった。

ご飯のお代りもしなかった。夫婦水入らずの食事は台無しで、正子のほうも食欲を失っていた。

「お茶にしますか」

「うん」

「あなた、元気がありませんが、会社でなにかあったんですか」

「いや」

「でも、なんだかおかしいわ。まだ気分がお悪いの」

「もう治ったよ」

「会社でなにがあったか教えてください。そんな顔されてたら、気になりますよ」

「そんなひどい顔をしてるか」

「ええ。ふさぎ込んで……」

「そう。会社であった厭なことを家庭に持ち込むのはよくないな。しかし、心配しなくていい。たいしたことじゃないんだ」

「いいえ。たいしたことじゃないとは思えません。話してください」

「…………」

「後見人だったわたしにも話せないことなんですか」

正子は微笑みながらつづけた。

「わたしは、あなたの後見人だったんですのよ」

「そうか。後見人か……」

高望から白い歯がこぼれた。

正子は、ほっとした。

数年前、高望のプロポーズに応じて婚約したのは、この人のきれいな笑顔に魅かれたからでもある。

「そうだな。後見人には話しておく必要がありそうだね」

高望は煎茶をひと口飲んで、話をつづけた。

「ニチベアの経営は兄貴がやるんだってさ。きょう竣工式で、親父から発表があったんだ。四月一日付で専務に就任するそうだよ。僕は啓発社製作所の専任になるわけだ。ニチベアと製作所では、その規模は比較にならない。製作所の何倍も大きいニチベアを兄貴にまかせるってことは、結局、親父は僕を信頼してないからだな」

「製作所のほうは松野さんにおまかせして、あなたにニチベアのほうをまかせるって、お父さまおっしゃってませんでした？　わたしは、たしかそんなふうに聞いた記憶があります」

「おととしの夏ごろだったかなあ、親父がこの家に来て、僕にそう言ったことは事実だよ。あの人のことだから、僕を利用するというか、やる気をおこさせるために、そんなふうに言ったんだろうな。きっと初めから兄貴にやらせるつもりだったんだ」

高望は唇を嚙んで、テーブルの一点を凝視している。

妹の亭主で、義弟にあたる松野は大学を出て一流金属メーカーに就職したが、征太郎にスカウトされ、最近、啓発社の取締役に就任したばかりである。

「お父さまはそんなかたではないと思います。きっと途中で気持ちが変ったんじゃないかしら。それともお兄さまの気持ちが変ったのかしら……。寒くなりましたね」

正子は、椅子を引いてテーブルを離れ、ガスストーブに点火してから、高望の前に戻った。

「あなたからお兄さまを紹介されたとき、大関紡の将来の社長だよ、って言われたのを憶えてますが、お兄さまはそれが当然って顔をなさってたわ。世の中にはずいぶん自信たっぷりな人がいるもんだって、わたしびっくりしました」

「兄貴が関紡の社長になるつもりで入社したことはたしかだよ。しかし、それが無理だってことがわかったんじゃないかな。繊維産業の前途は暗いからねぇ。人員合理化をやってる最中だし、目端《めはし》の利く人だから親父に泣きついて転身を図ったんじゃないかなあ」

「さあ、どうかしら。わたくしは、お父さまがお兄さまをお呼びしたんだと思います。松野さんをスカウトしたこともそうですけれど、高原一族の同族会社ということに固執されてるんじゃないかしら。征一さんはなんといっても高原家の長男ですし、頭も素晴らしくいいんでしょう」

「ずるがしこいだけだよ。それに見栄坊だし。僕は兄貴の人間性に懐疑的なんだ。親父は大洋自動車に恩義を感じて、地方に出張してタクシーに乗るときでも、大洋自動車以外の車種には絶対乗らないのに、兄貴は大型の外車を買って、関西で乗り回してたような人だからな。親父がそれを知って注意したら、そんなことまでいちいち親父に指し図される覚えはないって、色をなして怒ったそうだ。俺は大洋自動車とはなんの関係もない、って食ってかかったらしい。親父が無理に兄貴を東京に呼び戻したとしたら、親父の判断は間違ってるよ。啓発社グループはぎくしゃくすると思うな」

高望がからっぽの湯呑みに伸ばしかけた手を引っ込めると、正子は茶を淹《い》れ替えるために、またテーブルを離れた。

「なにかお茶うけを出しましょうか」

「うん。甘いものがいいね」

「ショートケーキがありますよ」

「いいねえ」

甘党の高望は、和菓子であれ洋菓子であれ眼がなかった。

正子が紅茶を淹れながら言った。

「でも、わたしはあなたのお話を聞いて、少しほっとしてるのよ。あなたは忙し過ぎます。ニチベアはお兄さまにおまかせして、製作所ぐらいがちょうどよろしいんじゃないかしら」

「僕には、それだけの器量がないっていう意味か」

高望はむっとした顔でつっかかった。

「いいえ。そんな意味ではありません。仕事量のことを言ってるんです。夫として、あるいは父親として、もっと時間をつくってくださいと申しあげてるんです」

「この一年間は、ちょっとひど過ぎたが、ニチベアの基礎はできたからね。仮に、僕がニチベアをまかされても、これからはずっと楽になったさ。僕が赦せないのは、親父も兄貴も、僕にひとことの挨拶も相談もなかったことなんだ。親父のスピーチで、そのことを知らされた僕の身にもなってみろよ」

紅茶とケーキがテーブルに並んだ。

「さあ、どうぞ」

「うん」

高望は、いつもゆっくりと時間をかけて賞味するのに、むしゃむしゃと、あっという間にケーキをたいらげてしまった。

「親父も兄貴もひどいよ。ニチベアの基礎づくりは僕にやらせておいて、見通しがついたところで、兄貴が乗り込んでくるなんて。兄貴にやらせるつもりなら、なぜもっと早くやらせなかったんだ」

「関紡を辞めるタイミングについては、お兄さまにいろいろお考えがあったのでしょうが、事前にあなたにお話がなかったというのは、たしかに気になりますねぇ」

「あんまりしゃくにさわるから、ちょっと子供っぽいと思ったけど、黙ってパーティを抜け出して来たんだ。兄貴は、子供の頃から親父の仕事を莫迦にしてたが、僕は誇りに思ってきた。学生時代からずっと親父の仕事を手伝って、そのために卒業が遅れたくらいだが、僕は親父から、そんなひどい仕打ちを受ける覚えはないよ」

高望は、がぶっと紅茶を喫《の》んで、ティーカップを乱暴に受け皿に戻した。

「兄貴は得意満面でニチベアを世界的な一流企業に育ててみせるなんて豪語してたが、猜疑心の強い人だから、従業員の気持ちをつかむことができるのかねぇ」

「そんなに悪く言ってはいけないわ。たった一人のあなたのお兄さまじゃありませんか。啓発社グループのために、きっと頑張ってくれますよ」

正子は心にないことを言ったつもりはなかった。

高望の悔しい気持ちはわかるが、同族会社である以上、長男に期待する父親の気持ちも理解できるような気がしたのである。

3

高望は、三日間会社を休んだ。

親父が頭を下げてくるまで、赤羽の啓発社にも田端の啓発社製作所にも出勤しないと言い張って、家でごろごろしていたが、三日目の土曜日の夜、製作所工場長の茅野が果物籠を下げて、見舞いにやって来た。

風邪をひいたと、正子が茅野に電話を入れておいたのである。

「夕方、大《おお》社長から電話がありましたよ。社長が風邪で休んでると聞いて、びっくりしてました」

「誰が風邪をひいたなんて言ったんですか」

「奥さんから電話がありました」

「余計なことを……」

高望は、茶の仕度をしている正子のほうへ目を遣ったが、厨房まで高望の声は届いていなかった。

「風邪で休むような社長じゃありませんから、心配してたんですが……」

「ストライキですよ。親父のやりかたがあんまりひどいから……」

高望はかいつまんで経緯を話した。

「道理で大社長の様子がおかしいと思いました。わたしに、見舞いに行って来いって言うんですから」

「見舞いなら、親父が来るべきじゃないですか」

「大社長は頑固ですから、望《もっ》ちゃんに頭を下げるようなことはしないんじゃないですか」

茅野はアクスルカバー、スプリングシート、エンジンプレート、インシュレーター・ストラットマウント金具など中板、薄板鋼板系の自動車用プレス加工製品の金型技術に関する限り、大洋自動車グループの中でも傑出した存在だった。

高望の学生時代からのつきあいであり、高望に図面の見方からプレスの仕事まで、手とり足とり教え込んだ仲でもあったから、茅野はどうかすると〝望ちゃん〟と気安く呼んでしまうことがあった。

「それだったら、僕は会社を辞めるまでです。小僧っ子みたいに扱われてまで親父の会社にいるいわれはありません」

高望は色をなした。

「望ちゃんは、小僧っ子なんかじゃありませんよ。痩せても枯れても、れっきとした会社の社長じゃないですか」

「そうですよ。茅野さんのおっしゃるとおりだわ。会社を辞めるなんて、おだやかじゃありません」

正子にもたしなめられて、高望は一層いきりたった。ひっ込みがつかなくなり、めずらしく大きな声を出した。

「きみは、仕事のことに余計な口出しをするな！」

佳子がびっくりして、べそをかきながら母親にしがみついた。

「望ちゃんが会社を辞めるなんて言うのはおかしいですよ。製作所は、望ちゃんが軌道に乗せたんじゃないですか。社長が辞めるなんて言い出したら、わたしらはどうしたらいいんですか」

「製作所の経営が軌道に乗ったのは、茅野さんのお陰ですよ」

佳子のほうを気にしながら、高望が返した。声が低いのはバツが悪いからだろう。

「そんなことはありません。わたしは、与えられた仕事をこなしているだけです。会社の経営なんて、無学なわたしには無理ですよ……」

煎茶をすすりながら茅野がつづけた。

「大社長は反省しているというのか、気にしてるみたいでしたよ。そうじゃなかったら、見舞いに行けなんて言いませんよ。あしたあたり、ここへあらわれるんじゃないですか。望ちゃんが怒るのは当たりまえですもの」

茅野は一時間ほど話し込んで、九時過ぎに帰った。

センターテーブルを片づけながら正子が言った。

「茅野さんはお父さまの代理で見えたんですから、来週から会社に出てくださいね」

「親父が頭を下げたくなかったら、兄貴に挨拶させたらいいじゃないの。いくら親子、兄弟の仲でも、それが礼儀だと思うな。けじめの問題だと言ってもいい。いちばん苦しい時期に、なにもかも僕にやらせておいて、大企業でのほほんとしてて、それがさも当然だと言わんばかりの顔で、東京に戻ってくるなんて、僕はおかしいと思う。永い間ご苦労さんって、なんでひとこと言うことができないの。親父にしても、兄貴にしても、僕に一言あって然るべきじゃない」

「メンツの問題ですか」

「それもあるが、とにかく赦せんよ。啓発社も、啓発社製作所も、ニチベアも、親父の個人会社だから、ひとたび親父がこうすると決めたら、それに従うしかないことはわかってるさ。しかし、方針を変更して兄貴にニチベアをまかせることになったんなら、事前に僕の了解を取りつけるべきじゃないか」

　話が蒸し返され、なんど同じことを聞かされたかわからなかったが、正子は辛抱強く耳を傾けていた。

「お父さまから事前に相談を受けていても、反対できっこないわけでしょう。それでしたら結果は同じことじゃありませんか」

「違うな。全然違う。少なくともやる気をなくすようなショックは受けなかったと思う。僕は、親父の仕事なんか手伝わないで、もっと別の途《みち》を歩むべきだったと後悔してるよ。兄貴に家業を継ぐ気がないって言われて、仕方なしに犠牲になったのに……」

「お父さまに、なにかお考えがおありなのよ。わたくしは、お父さまにはよくしていただいてますから、悪く言えません。このお家にしても結婚祝いにプレゼントしてくださったんじゃないですか」

　正子はぐるっと四周を見回した。土地は百坪、建坪は四十坪ほどだが、正子は分不相応に立派な家だと思っていた。

「もちろん親父には感謝してるけど、僕はこのくらいしてもらって当然だと思ってるよ。この数年間、どれだけ親父を助けて働いてきたか、きみがいちばんよく知ってるはずじゃないか」

正子は口をつぐんだ。高望の不信感は、征太郎に対するよりも、むしろ征一に向けられているように思える。

三日経ってもまだ気持ちが鎮静しないのは、ニチベアの経営に意欲をもっていたからだろうか——。

4

佳子のおかっぱの頭を撫でたり、抱きあげたり、高原征太郎はひとしきり孫の相手をしてから、屈み込んでさとすように言った。

「さあ、いい子だからお庭で遊んでおいで」

佳子はかぶりを振った。

「おじいちゃまと、かくれんぼするの」

「きょうはパパとお話をしたいんだ。大事なお話があるんだよ」

いつにない祖父の硬い顔に、佳子は不安そうなまなざしで父親を見上げている。

高望が佳子になにか言おうとしたとき、正子が紅茶を淹れてリビングルームに入ってきた。

「おじいちゃまのおもたせをいただきましょう。佳子の大好きなシュークリームですよ」

「あとにしろよ。佳子を連れてってくれ」

「話はシュークリームを食べてからにしよう」

征太郎は、嫁に気を遣った。

「いいから佳子を連れて行きなさい。シュークリームは二階で食べたらいいだろう」

高望はきつい顔で妻に命じた。

「はい。佳子ちゃん、いきましょう」

正子は、ティーカップをセンターテーブルに並べると、佳子の手を引いてリビングルームから出て行った。

昨夜、茅野が言ったとおり、征太郎は高望家にあらわれた。

赤羽の征太郎家から徒歩十分足らずの距離だが、征太郎はどこかの帰りなのか、きちっとスーツに身を包んで二時過ぎにやって来た。

頭髪が薄いこともあるのだろうが、いつも頭をつるつるに剃りあげている。年齢は六十一歳だが、顔は艶やかだ。

フレームが鼈甲《べっこう》の眼鏡の奥で、大きな眼が光っているが、正子や佳子に見せる眼はやさしかった。

「風邪をひいたらしいが、もういいのか」

高望は返事をしなかった。

「おまえが急にいなくなったので、征一も心配してたぞ」

「兄さんが僕のことを心配してくれたとしたら、生れて初めての経験です」

高望は皮肉たっぷりにつづけた。

「僕が幼年学校の入試に合格したときも厭な顔をされたし、どうして弟にあんなに対抗意識をもつのか不思議ですよ」

「ま、兄弟が張り合うのはいいことだ。もっともお母さんに言わせれば、おまえが征一を立てないのがいかんということになるぞ。兄をないがしろにし過ぎると言ってるが……」

征太郎はティーカップを口に運んだ。

「ないがしろにされたのは僕のほうじゃありませんか。兄貴がニチベアの専務になるなんて話、いつ決まったんですか」

「おまえに話してなかったかねぇ。わしは、話したとばかり思ってたよ」

「冗談じゃありませんよ」

「それで子供みたいにふくれっつらしてるのか」

「………」

「一月だったか、浦和の新工場があらかた完成したときに内祝いがあったな。あのとき、わたしの肚《はら》は決まっていた」

そう言えば、正月休み明けにニチベアの主だったものが新工場に集まったことがあった。そのときも征一は顔を出していた。

征太郎と二人で丹念に工場を見て回り、とき折り立ち止まって話し込む場面がみられた。あのときはさして気にならなかったが、いまにして思うと、ニチベアの在りかたについて、あるいは征一の身の振りかたについて、重要な話があったのかもしれぬ。

ニチベアから俺を排除することで、合意が得られたのはあのときだったのか——。

高望は、カッと身内が熱くなった。

「お父さんのほうから兄貴に頭を下げて呼び戻したのですか。それとも兄貴から頭を下げて来たんですか」

征太郎はかすかに顔をしかめた。間をとるように紅茶を喫んでから、緩慢《かんまん》な動作でティーカップをセンターテーブルに戻した。

「征一は、わたしが頭を下げて頼んだと話してたな。しかし、それはどっちでもいいことだ。要は啓発社、啓発社製作所、そしてニチベアのグループを高原一族で、しっかり守り育てていこうということだ。そのためには征一の力が必要だとわたしは判断した」

「……………」

「啓発社製作所はおまえが育てたんだ。製作所には愛着があるだろう。もっと大きく育てることがおまえの役目だ。ニチベアは征一にまかせたらいい。会社というものは生きものだからね、競争原理が働かなければいかんのだ。おまえと征一が啓発社グループの中で、競い合うことは悪いことではない」

「兄貴はニチベアを中小企業から大企業に育てるかもしれません。世界的な一流会社にすることが使命だ、なんて大見得を切ってましたからね」

高望は喉の渇きを覚え、残りの紅茶を一気に喫み乾した。

「あの人は目的のためには手段を選ばないようなところがあります。しかし、血のかよった経営ができるんでしょうか」

征太郎はにたっと頬をゆるめた。

「経営者は非情なところがなければいかん。会社を守るためには、ときには首切りをやらねばならんこともある。征一の批判をするのはけっこうだが、すべては結果だぞ。経営とは、結果がよければすべてよしとしなければならんのだ。血のかよった経営などと、青くさいことを言ってるようでは、修羅場をくぐり抜けることはできんぞ。征一のことでいつまでもすねてるようではいかん。おまえはまだ若いな」

高望は、にらめっこでもするように征太郎を見返したが、はじき返されて、眼を伏せたのは高望のほうだった。

「いいか。これだけは言っておくぞ。啓発社グループのオーナーは、このわたしだ。征一も、おまえも、わたしの許可なしに勝手な真似はさせん。それが厭なら辞めたらいいんだ。ニチベアは征一に、製作所はおまえにまかせるが、なにかことを決める場合は、わたしに相談してもらいたい。いいな」

征太郎は言いざま、つと起ちあがった。

高望は、屈辱感だけが増幅して残った。

第四章　高度成長

1

「社内には発注転換を考えるべきだと主張する者もいます……」

草部《くさべ》のそのひと言で、高原高望は顔色を変えた。

草部忠行《ただゆき》は、大洋自動車本社の購買部門で、啓発社製作所を担当している。年齢は高望より一つ下の三十歳だ。

昭和三十六年七月中旬の蒸し暑い某夜、草部は、田端にある啓発社製作所の本社・工場に高望を訪ねてきた。

啓発社製作所を担当するようになってから、まだ数ヵ月しか経たないが、草部はちょくちょく顔を出していた。

しかし、アポイントメントなしに、いきなりあらわれたのは今夜が初めてだ。

会社の社長とはいえ、所詮下請工場のおやじに過ぎないから、力関係を見せつけるように本社に呼びつけて、高圧的な態度で指示を出す購買担当者が多い中で、草部のような男は稀有な存在だった。大洋自動車のエリート社員にしては腰が低く、尊大なところはまるで感じられない。

その草部が血相を変えて、大手町の大洋自動車から田端まで駆けつけて来たのである。

「わたしは高原さんを信頼してました。裏切られた思いです」

草部は端正な顔を歪めて、つづけた。

「納期を守ってもらえなければどういう結果になるか、高原さんがご存じないわけはないと思うんです。ラインが止まってしまうんです。たった一つ部品がそろわないだけで、自動車の生産ができなくなるんです。高原さんは無理を承知で、受注されたんですか」

「いいえ。決してそんな……」

高望は強くかぶりを振った。

極度に感情を抑えているのか、草部の声はくぐもって抑揚がなかった。

それがかえって重みを伴って高望の胸にひびいてくる。

啓発社製作所でつくっているエンジンプレート、エンジンスリンガーなどの自動車部品の納期が遅れたのは、プレス機械のトラブルに起因していた。一日延ばしにしてきょうで十日になるが、社長の高望は陣頭指揮で、トラブルの解消に躍起になっていた。

草部が工場に来たのは夜八時過ぎである。

高望は作業場でランニングシャツ一枚で汗みずくになっていた。

その姿を見て、草部はいくらか救われた思いがしたものだ。

社長の高望が現場に居合わせなかったら、怒り心頭に発して、それこそ発注転換に踏み切るつもりになったかもしれない。

発注転換とは、大洋自動車が当該部品工場を不適格と見做《みな》して、切り捨てることである。部品の注文をストップされれば、下請部品工場は息の根を止められる。まことに過酷な仕打ちである。

品質の規格に極端に外れているか、納期を守らない〝常習犯〟か、よほどのことがない限り、発注転換はあり得ない。

温厚な草部が発注転換を口にしたのだからことは重大だった。

草部は、ここのところ連日、いきり立つ工場の担当者にデスクを取り囲まれていた。

「いったい、いつになるんだ！　子供の使いじゃあるまいし、はっきりさせろ！」

「きみのやりかたが甘いから舐められるんだ」

「発注転換を通告しろよ」

上司の課長までが工場側に加担して、草部を責め立てた。

「きみ、ほんとうにそろそろ見切りどきかもしれないな。担当者として弁解できんだろう。

それとも、担当者を代えなければいかんのかね」

へたに庇《かば》い立てしたら管理能力を問われかねないので、立場上、仕方がないとも言えるが、草部は無性に腹が立った。

高原の言いぶんを鵜呑みにしていたおまえが悪いと言われればそれまでだが、それを信じるしかないではないか――。

「発注転換を口にするのは簡単ですが、それで問題が解決するんでしょうか。新たに発注した部品工場が態勢を整えるまでに、二十日や一ヵ月はかかりますよ。それでよろしいんですか」

「きみ、ひらき直るのかね」

「いいえ。事実を申しあげてるに過ぎません。それに部品メーカーとは持ちつ持たれつの関係にあることを忘れないでいただきたいですね」

草部は、うそぶいた工場の担当者を睨《にら》み返した。

「わたしは、啓発社製作所を担当して間もないので、詳しいことはわかりませんが、前任者から、あの下請はいい仕事をすると聞いてます。大洋自動車の仕事をやるようになって六、七年になるはずですが、いままで一度も問題を起したことはないとも聞いてます。新しく据え付けた機械のトラブルによって納期が遅れてますが、やっと調子を取り戻したということですから、あと一日か二日で……」

「きのうも、おとといも同じことを言ったぞ!」

別の男が草部の話をさえぎった。

「とにかく、電話で話してもらちがあきませんから、いまから田端へ行って来ます」

草部は席を蹴立てるようにして、会社を飛び出した。

そんな会社でのやりとりを思い出しながら、草部は高望を凝視した。

「発注転換なんて軽々に口に出してはいけないと思うんです。ですからわたしはそれを言った工場の担当者をたしなめました。すぐに発注転換などと言い出す発想は、思いあがりか勘違いでしかないと思うんです。われわれは、ともすると部品メーカーに、部品をつくらせてやっている、という考えにとらわれがちですが、つくっていただいていると考えるべきなんです。逆に、あなたがた部品メーカーの立場からすれば、つくってやってるんだと考えるべきではないんでしょうね」

「おっしゃることよくわかります」

高望は、なにやら胸が熱くなった。

草部からなんと言われようと弁解できなかった。発注転換を言い渡されても仕方がない、と思っていた。

その場しのぎの言い逃がれのつもりはなかったが、結果的にはそう取られても仕方がないほど約束を違《たが》えている。

啓発社製作所の社員は百人近くまで膨張したが、社員とその家族を路頭に迷わすわけにはいかないので、大洋自動車に見限られたら、ほかの自動車会社とコンタクトするしかないと考えていた。

新型のプレス機械を設置したことが裏目に出て、たまたまトラブルに巻き込まれたが、技術力には自信があったから、なんとか拾う神にめぐりあえるだろう――。

それが、思いもかけず草部は堪忍袋の緒を切らず、許容範囲を拡大してくれたのだ。

高望は涙がこぼれそうになり、あわてて手の甲で眼をごしごしこすった。

「われわれは大洋自動車さんに、部品をつくらせていただいてるんです。草部さんに、ご迷惑をおかけしてほんとうに申し訳ないと思ってます。父の征太郎が今回のことを知りましたら、それこそ腹を切ってお詫びしろと言うでしょう。父は大洋自動車さんに足を向けては寝られない人なんです。本社や工場をお訪ねするときも門から五十メートルも手前で降りて、歩いて行くような人です」

「それはちょっと卑屈になり過ぎてませんか。自動車メーカーと部品メーカーは持ちつ持たれつ、共存共栄の関係にあるんですから……」

草部は苦笑しいしい返した。

「たしかに、そうかもしれませんが、父は大洋自動車あっての啓発社であり、啓発社製作所であることを肝に銘じてるんです。わたしも父の生きかたがそう間違ってるとは思いません」

「ところで……」

草部が時計を気にしながら、話を本題に戻した。

「掛け値なしで、あと何日待てばよろしいんですか。ほんとうのところを教えてください」

「すみません。ちょっと失礼します。すぐに戻ってまいります」

高望は、工場長の茅野と相談するために階下へ降りて行った。

五分ほどして、高望は茅野を伴って、事務室へ戻って来た。

「お待たせして申し訳ありません。わたしは草部さんにすっかり信用を無くしてしまいましたので、工場長の茅野から説明させていただきます」

草部と茅野が名刺を交換したので、高望もソファに腰をおろした。

茅野は、ハイフレックスプレスなるプレス機械の故障の原因を、プレスメーカーと共同でやっと突き止めたことをたんたんと説明したあとで、草部を睨みつけるように見据えてずばっと言った。

「あと二日ください」

「二日後に全部納品することは不可能ですが、二日目以降五日目までに必ずすべて納品します。いま、従業員とも話したのですが、皆んな残業に応じてくれると言ってます。徹夜でもなんでもすると……」

高望がまた涙ぐんだ。

「すっかり社長に迷惑をかけてしまいました。現場をまかされているわたしの責任です。わたしが追浜《おっぱま》工場に出向きまして、お詫びさせていただきます」

茅野が起立して頭を垂れた。

草部が茅野を手で制した。

「まあ坐ってください。せっかくのお申し出ですが、それには及びません。しかし、いま言われた二日目以降五日目までの線を必ず守ってください。わたしのほうこそよろしくお願いします」

「ありがとうございます」

高望は、膝に手を突いて、低頭した。

「わたしはこれで失礼させていただきます」

茅野は工場が気になるとみえ、ほどなく退室した。

近所の蕎麦屋に出前を頼み、夜食の天丼を食べながらの話になった。

「高原さんは、従業員に恵まれて幸せですね」

「はい。お陰さまでその点は自慢できると思ってます」

「社長がリーダーシップを発揮してるからこそ、社員が従《つ》いてくるんですよ」

「大企業、中小企業とを問わず、社長がいちばん働かなければいかんのです。社長がたがをゆるめてしまったら、皆んなやる気をなくしてしまいます。企業にとって従業員の士気の停滞くらい恐いものはありません」

「…………」

「それと待遇です。中小企業に勤務する人たちの給与水準は、大企業に比べて相当低いと思うんですが、それではいけません。大企業並みにするのは、利益水準からみても難しいかもしれませんが、一歩でも近づく努力を惜しんではならないと思うんです。あとは、中小企業のほとんどがオーナーというか、個人によって経営されてると思いますが、その個人経営者がカマドの灰まで自分のものという意識にとらわれないことが大切なんじゃないでしょうか。会社は従業員のものと考えなければいけないんです」

高望は、丼を手にしたまま、箸を動かすことを忘れて夢中でしゃべっている。

「しかし、中小企業にせよ、大企業にせよ、オーナー経営者なり創業経営者といわれる人たちは、それなりに苦労してますから、せっかく苦労して育てた会社を他人に渡したくない、二代目がドラ息子であれ、莫迦息子であれ、社長を継がせたいと考えるのは人情としてわかるような気がします。早い話、啓発社製作所の会長は高原さんのお父上ですが、ご子息の高原さんに継がせたわけでしょう」

高望は、痛いところを突かれて、たじろいだ。天丼をかき込みながら時間をかせいで、考えをまとめるまでに三十秒ほど要した。

「わたしは、恥ずかしいんですが、小説家を夢見て、文学なんか齧ったものですから、つぶしが利かなくて、やむなく親父の跡を継いだような面もあるんです。学生時代から親父の仕事を手伝ってましたから、それほど抵抗なしに、この会社の経営を引き継げたということもあるかもしれませんが、たとえば、息子にこの会社を継がせる気があるかと訊かれたら、はっきりないと答えます。ま、息子の選択にまかせますが、息子からどうしても跡を継ぎたいと言われたら、そのときはちょっと考えますけど、それこそドラ息子だったり、莫迦なやつだったら、頼まれても断りますよ」

「ご子息はおられるんですか」

「ええ。一歳半です」

「それじゃあ、いくらなんでも、いまから跡を継がせるとは言えませんね。あと二十年もしたら、悩むことになるんじゃないですか」

とくに皮肉っぽい口調ではなかった。

だが、高望は多少むきになって返した。

「いや、そんなことは絶対にありません。息子から職業の選択権を奪ってしまったら、可哀想じゃないですか」

時刻は九時を回ったが、蒸し暑さはいっこうにおさまらなかった。窓を開け放っているが、そよとの風もない。

扇風機がぬるい風を送ってくるが、天井のお陰でかいた汗は、べとついてなかなか引かず、高望も草部もうだったような顔をしていた。

階下から絶え間なしに送り込まれてくる機械の音も、相当に暑くるしい。

天丼を食べ終えた草部がハンカチで首筋をぬぐいながら、さりげなく訊いた。

「今夜は遅くまで残業ですか」

高望は、箸を止めてにこっと笑った。

「徹夜になると思います。これでも一工員として貴重な戦力なんですよ。学生時代、茅野君にしごかれましてねえ、いまやプレスの熟練工です」

「徹夜で頑張っていただくのはありがたいんですが、そんな無理をいつまでも続けられるわけはありませんからねぇ」

高望が魔法瓶のむぎ茶をコップに注ぎながら言った。

「もちろん何日も徹夜を続けるなんてことはできませんが、気が張ってますから、案外頑張れるものですよ」

草部は、二杯目の冷たいむぎ茶をひと口飲んでから居ずまいを正した。

「そろそろおいとましますが、最後にひとつだけ言わせてください。率直に申しあげますが、高原さんは工場の能力以上に受注しているということはありませんか。さっき、徹夜でもなんでもするという話が出ましたが、無理をかさねるのはよくないと思うんです」

草部は大きな眼でまっすぐ高望をとらえて、つづけた。

「わたしはまったくの門外漢ですが、予期せざる機械のトラブルも事実なんでしょうけれど、高原さんは無理をし過ぎてるような気がするんです。〝ブルーライト〟も〝ローリック〟もここへきて売れ行きが急激に伸びてますから、それにつれて部品の発注量も急カーブを描いて増えてます。啓発社製作所さんは、今度の納期の遅れをもっと深刻に受けとめる必要があるんじゃないですか」

〝ブルーライト〟とは、大洋自動車が英国オースター社との技術提携契約の解消を機に、二年前の昭和三十四年に自己技術で開発した小型乗用車の商品名である。〝ローリック〟はその一年後に開発された中型乗用車だ。三十六年七月現在で〝ブルーライト〟は月産五千台、〝ローリック〟は同三千台に達していた。

高望は返答に窮した。

草部の指摘はまさに正鵠《せいこく》を射ていたのである。

「素人目にも、この工場は限界にきてると思うんです。違いますか」

「おっしゃるとおりです。プレス機械の事故も事実ですが、大洋自動車さんから仕事を取り過ぎてることも事実です。茅野君は僕を庇って自分の責任だと言ってくれましたが、工場能力の限度に近いところで仕事をしているところに問題があるかもしれません」

高望はひらき直ったわけではなく、草部に相談するつもりになっていた。

「そうしますと、これ以上の増産には対応できないということになるんですか」

草部は深刻そうに表情をこわばらせた。

「この工場ではこれ以上の拡張は望めません。赤羽の親会社の敷地に多少余裕がありますが、そんな一時しのぎではなく、抜本的に考える必要があると思ってます」

「…………」

「大洋自動車さんの主力工場は、神奈川の追浜工場ってことになるんでしょうねぇ」

「ええ。〝ブルーライト〟と〝ローリック〟などの乗用車は追浜工場に集中していくと思います」

「そうなると、仮に当社が新しい部品工場を建設するとすれば、神奈川県がよろしいんでしょうか」

「田端は輸送上、問題があるかもしれませんね」

「わかりました。神奈川県に適当な土地を物色します。ここは千坪もありませんが、将来の拡張に備えて広い土地を手当てします。発注転換なんて言われないようにしっかり体制を整えますよ」

高望は微笑を浮かべて、テーブルのコップに手を伸ばした。

「部品メーカーは、自動車会社に生殺与奪の権利を握られてるようなものです。今後ともお見限りなきようお願いします」

「なにをおっしゃいますか。部品一つそろわないだけでラインが止まってしまうんですから、その逆ですよ。ラインが止まらないように協力してください」

草部はこやにやしながら言い返した。

「日本はモータリゼーションの開花期を迎えつつあります。三十年代前半はトラック主導でしたが、後半のモータリゼーションは乗用車主導に変り、それも保有層の主力が業務、営業用から個人の自家用に移行してます。そうした中で〝ブルーライト〟は国民車として、モータリゼーションの主役になると思うんです。草部さんも、そう思われてるんじゃないですか」

「まったく同感です」

「僕は、ひと昔近くも前に、モータリゼーションの時代が到来するとワイフに話したことがあるんです。もちろんまだ結婚してませんでしたけど……」

「自動車産業が、日本経済の高度成長を担うことについて異議を唱える人はいないと思いますが、高原さんが言われたとおり〝ブルーライト〟が国民車的な迎えられかたをしていることはたしかですから、モータリゼーションの主役といっても言い過ぎにはならないと思います」

〝ブルーライト三一〇型〟は、最高速度一〇五キロ、総排気量九八八ccの四人乗り小型乗用車だが、発売以来四年間で二十一万台が生産され、国産乗用車の新記録を樹立するのは、二年後の三十八年九月のことだ。

2

高原高望の決断は早かった。

何ヵ所かの工場用地を見て回ったが、横浜の戸塚に六千五百坪の土地を購入すると決めるまでにひと月とはかからなかった。

「田端の十倍に近い敷地ですよ。いくらなんでも広過ぎませんか」

工場長の茅野が言うと、総務部長の伊勢も「この半分ぐらいが適当じゃないですか」と疑問を呈した。

三人で、戸塚の工場用地を見に行ったのは昭和三十七年の五月の連休明けのことだ。

「二人とも自動車産業の将来をどう見てるんですか。欲を言えば一万坪は欲しいところですよ」

社長の判断に従わざるを得ないが、それにしてもたかが部品メーカーではないか。十年先いや二十年経っても六千五百坪の土地を一杯に埋ずめるほどの仕事量があるとは到底思えなかった。社長は夢を見ているのではないか、と茅野は口まで出かかったが、ぐっとこらえた。

茅野が首を振り振り伊勢と顔を見合せていると、高望は茅野の背中をぽんと叩いた。

「大洋自動車の追浜工場の敷地は五十万坪近くあるんですよ。しかも追浜工場だけじゃない。ほかにもたくさんあります。僕は、経営者は最低三十年先を考えて布石を打つべきだと考えてますが、二十年でこの土地は満杯になってしまうんじゃないかと心配してるんです。再来年の東京オリンピックまでに、日本の道路はかなり整備されてるはずだし、所得水準が上昇するにつれて、数年足らずでマイカー時代が到来しますよ。社宅や寮に入らずに、外から通《かよ》って来る従業員がマイカーで通勤する時代がそこまで来てるんです。まだ工場のレイアウトまでは頭の中に描けませんけど、駐車場は従業員の車で一杯になりますよ」

和泉《いずみ》町の工場用地から田端へ帰る車の中でも、高望はしゃべりつづけた。

「まず社宅、社員寮から建てましょう。中小企業でも大企業並みの厚生施設を誇れるぐらいにしなければ、従業員の定着率も向上しないし質のいい労働力は確保できません。食堂も立派なのをつくりましょうよ。二人ともよく知ってるように僕は酒をやらないかわりに、食いしんぼうで美味しいものをたくさん食べたい口ですから……」

戸塚工場建設のピーク時、高望は現場に詰めて指揮を執った。啓発社の社長で啓発社製作所の会長でもある父の征太郎は、すべてを高望にまかせてくれたのである。

田端工場は茅野たちにまかせて独身寮に泊り込むことも多かった。

ニチベア浦和工場建設の経験が大いに役立ち、ほぼ満足のできる工場が完成したのは昭和三十八年五月中旬のことだ。

農地が宅地に転用されて、周囲にはぼつぼつ人家が建ち始めたが、畑の中に忽然と近代的な自動車部品工場が出現したのである。

田端工場の敷地は売却し、本社機能を含めて全施設を戸塚に移転した。戸塚工場の建設費は、田端工場の売却益と、この十年間の社内留保を取り崩すことによって調達できたので、借入金依存度はゼロに近かった。

高望の自慢は二百五十人を収容できる大会議室、大食堂、鉄筋コンクリート三階建ての男子と女子の独身寮などだ。幹部用の社宅を合せて、工場敷地内で従業員の大半が生活することになるが、戸塚に移転直後の従業員は約百五十人だった。

工場の稼動が軌道に乗った五月下旬の吉日に竣工披露パーティが事務所二階の大会議室で行なわれた。

この日は休業とし、全社員がパーティに出席した。

高望は、高原征太郎、高原征一、松野裕次を招いたが、母の隆子は呼ばなかった。もちろん妻の正子も子供たちも出席させなかった。仕事場に家の者が出入りすることを好まなかったのである。

隆子に声をかけなかったことで一層反発を買い、征一も母に義理立てして欠席した。

大洋自動車の購買担当者、建設業者、地元関係者を含めた約三百人を前に、高望は挨拶に立った。

プレス屋のおやじからちょっとした会社の社長になったような気がして、晴がましい気分だった。

「本日はお忙しい中を本社工場の竣工式にご足労いただきましてほんとうにありがとうございます。予定どおり完成に漕ぎつけられましたのはひとえに地元のかたがたの深いご理解、建設業者のかたがたの献身的な協力、そして大洋自動車さんのご支援の賜《たまもの》でございます。役員社員を代表しまして心から感謝申しあげる次第でございます……」

高望は、型どおり挨拶したあとで、会場にゆっくりと首をめぐらし、ぐっと声量を落した。

「この十年間、わたくしはプレス工として充分通用すると自負できるほど、町のプレス屋のおやじに徹してまいりました。田端工場時代に共に苦労を分ちあった仲間ならおわかりいただけると思いますが、ごみごみした掘立小屋みたいな粗末な工場から見ますと、少し郊外に出ましたけれど、ずいぶん立派な工場になって、破格の出世と申せるかもしれません。中小企業にしては背伸びが過ぎるのではないか、と思われるかたもおられるかもしれませんが、大洋自動車グループの一員として部品の製造ひと筋に努力してきた結果が新工場の建設につながったのでございます」

高望は、声量を高めて、「しかしながら……」と先をつづけた。

「初心忘れ得べからずと申します。あの厳しい時代、つらい時代を忘れてはならないと、わたくしはつねづね肝に銘じております。十年前に、従業員の大半が集団脱走のようなことになりまして途方に暮れたこともございました。工場をたたんで、転業を考えたこともございます。歯をくいしばって頑張ってきましたのは、輝かしい自動車産業の未来を確信していたからにほかなりません」

三拍ほど間を取って、高望はにこやかに語りかけるようにつづけた。

「中小企業だからといっていじける必要はないと思うんです。中小企業こそが日本経済を下支えしているとわたくしは自負しております。大洋自動車さんの下請部品メーカーだからといって卑屈になるいわれはありません。言うまでもなく大洋自動車さんあっての部品メーカーですけれど、大洋自動車さんを押しあげ支えているのは、われわれ部品メーカーだと誇りたいとも思うんです。わたくしの誇りは、大洋自動車さんの一員として部品をつくらせていただいていることと、優れた部品を精魂こめてつくり出している従業員であります。ですからわたくしは啓発社製作所の社長として、福祉の向上などを含めまして従業員の幸せを第一義的に考えることを皆さんの前でお誓いします。それから、会社を大きくすることが経営者の要諦と考える人もおるようですが、そのために人を出しぬいたり計らうよりは、エネルギーを内部の充実に向けたいと思います。前者の生きかたが悪いということではありませんけれど、わたくしは後者の生きかたを選択したいと思うのです」

征一の顔が眼に浮かんでいた。あの男は、世界一のベアリングメーカーにする、と豪語したことがあった——。

「こころざしが低いと思われるかたもあろうかと存じますが、これはこころざしの問題ではなく、フィロソフィの問題だと思います。スピーチが長くなりますと嫌われますので、そろそろ終らせていただきますが失礼ながら竣工式だからといって、とくにご馳走を準備してるわけではございません。いつもの昼食の献立にほんの少々色をつけたに過ぎませんが、少しばかりアルコール類も用意しております。お時間のゆるす限り、おくつろぎいただきたいと存じます。ありがとうございました」

盛大な拍手の中を高望は深々と一礼してマイクの前から離れた。

大洋自動車の取締役購買部長の横川がゆったりした足どりで近づいてきた。

「高原君はスピーチが上手だねぇ。さすが応援部で鍛えただけのことはあるな」

「応援部で喉は鍛えましたけれど、スピーチとは関係ありませんよ」

「うん。それにしてもたいしたもんだ。抑揚のつけかたが実にうまい」

「恐れ入ります」

司会者に指名されて、横川が来賓を代表してマイクの前に立った。

それを待っていたように、草部が高望の前にやって来て、耳もとでささやいた。

「素晴しいスピーチでしたね。社員の士気が上がるんじゃないですか」

「ありがとうございます。こんな立派な工場を建設できたのは、草部さんが発注転換を見合せてくださったからですよ」

「なにをおっしゃいますか」

地元の有力者が音頭を取ってビールで乾杯し、パーティが始まって間もなく、征太郎が会場の隅のほうへ高望を呼び寄せて、硬い顔で言った。

「おまえ、もっと謙虚でなければいかんな。部品メーカーが大洋自動車さんを支えているなんて、思いあがるにもほどがあるぞ」

「お父さんは、少しいじいじし過ぎますよ」

高望は笑いながら返した。

「われわれは大洋自動車さんのお陰で、おまんまが食べられるんだ。だいたい、こんな贅沢な工場を建てておって、いったいなにを考えてるんだ。おまえにまかせるんじゃなかった。独身寮ひとつ取っても立派過ぎる。大宝会《たいほうかい》の連中がなんというか。だいたい大洋自動車さんから部品の値下げを要求されるのが落ちだぞ」

大宝会は、昭和二十九年五月に大洋自動車傘下の部品メーカー百社の経営者で結成された親睦団体である。大宝会に加入している部品メーカーの従業員は、自動車労連部労（部品労働組合）への所属を義務づけられる。ついでながら自動車労連の傘下には部労のほかに販労（販売労働組合）が存在する。

「ひたすら大洋自動車の顔色をうかがうようなことでは、部品メーカーの地位は向上しませんよ。大洋自動車に儲けさせてやってるとは敢えて言いませんけど、持ちつ持たれつじゃないですか」

「なんてことを言うんだ！」

征太郎は気色ばんだ。本気で怒ってるらしい。

横川がウイスキーのグラスを手にこっちへやって来た。

「息子がえらそうなことを申しまして、失礼致しました。いま叱りつけたところです」

「そんなことはないだろう。たしかに、われわれは部品メーカーに支えてもらってるんだから」

横川はちらっと高望に横眼をくれながら、皮肉ともつかずに言って、グラスを口へ運んだ。

「滅相もない。大洋自動車さんのほうには足を向けて寝られません」

「それにしても立派な工場なんでびっくりしたよ。借金なしで建てたそうじゃないの。ずいぶんと溜め込んでたんだねぇ。部品の値下げをお願いせないかんな」

「横川さん、しがない下請会社をいじめないでください。大洋自動車さんから見たら、吹けば飛ぶような零細企業です。無借金なんてとんでもない話です。内実は火の車で借金で首が回りません」

征太郎は、真顔でそんなことを言った。

草部が上司の課長を伴って話の中に入ってきたので、小さな輪ができた。

「高原さん、おたくの社員は恵まれてますねぇ。全社員がこういうパーティに出席させてもらえるなんてめったにないですよ。実にいいことをしましたね」

「ありがとうございます」

草部がビールをひと口飲んで、言った。

「いま課長とも話したんですが、おたくの従業員はこんな豪勢なご馳走を毎日食べられるんですか」

「まかないのおばさんたちが腕によりをかけてこしらえてくれたんですが、きょうの献立はちょっといつもと違ってます」

高望は、にがり切った顔で鋭い視線を送ってくる征太郎を無視して、話をつづけた。

「料理自慢の七人のおばさんを社員として採用したんです。昼食も寮生の夕食も毎日献立が違います。予算は立てず無制限にするから美味しいものをつくるように厳命してあります。この工場で働くすべての者が昼食をここで摂るんですが、わたしもそうですけれど皆んな昼食を楽しみにしてます。わたしは、夕食もよく寮生と食べるようにしてますが、手をかけた家庭料理を食べさせてくれます」

「予算が無制限というと、すべて会社持ちなのかね」

「いいえ。月に七百五十円だけ払わせてます。寮生は二千円です」

「ふーん」

横川は唸った。

「いちど、ぶらっとおいでいただけると、おわかりいただけると思います。横川さん、昼食でも、夕食でもけっこうですから、ぜひいらしてください」

「部長、高原社長の食い道楽は、半端《はんぱ》じゃありません。うなぎ屋と天ぷら屋をはしごしたことがありますが、この人はお酒をやりませんから、そのぶん旨いものには目がないんです」

草部が注釈を加えると、横川は大仰に顔をしかめた。

「わたしにはとてもつきあい切れんな。うなぎと天ぷらのはしごなんて」

高望は豪快に笑い飛ばした。

哄笑の渦になったが、征太郎だけはこわばった笑いを浮かべていた。

フライドポテト、とりの空揚げ、いかのリング揚げ、焼き豚などのオードブルに焼とり、春まき、サンドイッチ、のり巻き、いなり寿司、わんこそば等々。十数ヵ所のテーブルに所せましと並んでいる馳走はパーティ用の素朴なものだが、まかない婦たちの心がこもっていた。

薄いグレーの半袖の事務服を着た女子社員たちが甲斐甲斐しくホステス役を務めているのも、草部の眼に清々しく映った。

3

二年後の昭和四十年五月三十一日の夜九時過ぎに、赤羽の高望宅へ草部が訪ねて来た。

高望が帰宅したのは八時半で、ひと風呂浴びて食卓に向かったところだった。

草部はむろん夕食を済ませてきた。

「せっかくですから一膳だけつきあってくださいよ。のろけるわけじゃありませんけど、ワイフの料理は天下一品なんです」

「遠慮はしません。ほんとうに満腹なんです」

「お互い若いんですから、いくらでも入りますよ。僕だって会社の食堂で少し食べてきたんです」

「晩めしのはしごですかぁ。わたしは高原さんの真似はとてもとても……」

草部は手を振ったが、高望は承知しなかった。

「ママ、草部さんも食事されるから用意して」

高望は、台所の正子に向かって大声を放った。

茶の用意をしていた正子はあわてて、仕度にかかる羽目になる。

長女の佳子は小学校三年生、長男の望《のぞむ》は幼稚園の年長組だが、二人とも両親の躾《しつけ》が厳しいせいか、草部にきちっと挨拶したあとは二階の子供部屋に引き取っていた。

「無理強いして申し訳ございません。ほんのありあわせで、おすすめできるようなものではございませんのよ」

正子は食卓に二人分の食事を用意した。どんなに遅く帰宅しても、高望は妻と差し向かいで夜食を摂らなければ気が済まないほうだった。

もちろん茶漬け一杯のこともある。

食卓に、鯛の西京漬け、若竹煮、春菊のおひたしなどが並んだ。

「奥さん、ビールを一杯いただけませんか。今夜は素面《しらふ》で来たんですが、こんなご馳走をいただけるんなら、ご飯よりビールのほうがありがたいです。それに、ちょっとアルコールが入ってたほうが話しやすいし……」

「失礼しました。気がききませんで。ビールでよろしいんですか。ウイスキーも……」

「喉が渇いているのでビールをいただきます」

草部は、背広を脱ぎながら正子に返した。購買部門から管理部門にポストが替っていたが、草部は高望と友達づきあいを続けていた。

動と静とにひと口で片づけるわけにもいかないが、性格的にはずいぶん異なるのに、二人は不思議にウマが合った。年齢差が一歳ということも手伝っていたかもしれない。

「アルコールが入ったほうが話しやすいってそんな重大な話があるんですか」

「いやいや、そんなんじゃないんです」

草部は顔を赤らめている。

正子がビールの酌をしながら言った。

「きっと、いいお話なんでございましょう」

「まいったなあ……。いただきます」

草部は、一気にコップを乾した。

二杯目の酌を受けながら、草部が言った。

「身を固めることにしました。大学の後輩なんですけど、友達のすすめで正月に帰省したときに見合いしまして、間もなく三十四ですから、年貢の納めどきです」

「まあ、おめでとうございます」

正子が感に堪えないような声を発した。

「おめでとう。それはよかった」

「草部さんは結婚なさらないのかしらって、いつも主人と話題にしてましたのよ」

「式は秋に東京で、と思ってます。高原さんに仲人をお願いしたいと思ってるんですけど……」

草部は、照れ隠しに、仏頂面で話している。

高望が正子と顔を見合せながら言った。

「草部さんの媒酌人をやらせていただけるなんて、大変光栄ですけれど、それはないですよ。せいぜい友人代表で祝辞を述べさせていただくってところじゃないですか」

「ええ。わたくしたちには大役過ぎますわね」

正子が、高望にうなずき返した。

「そうですかねぇ。わたしは、高原さんご夫妻にお願いするのがいいんじゃないかと思ったんですが……」

「奥さまになられるかたも同じ東北大学のご出身ということでしたら、大学の教授が無難なのかしら」

「そうねぇ。それか大洋自動車の重役さんか、どっちがいいかなあ。とにかく、われわれの役目じゃないですよ。草部さんと僕といくつ齢が違うと思ってるんですか」

「でも、高原さんは人生上の大先輩ですから」

「僕のほうがよっぽど、草部さんに教えられることが多いですよ。正直に言わせてもらうと、草部さんにそこまで言われれば、まんざらでもないという気持ちになりますけど、だからといって、お受けしたら、そそっかしいやつだって、皆んなに笑われるだけです。やっぱり勘弁してください。そのかわり断ると言われてもスピーチはやらせていただきます」

高望はカラカラと笑って、食事にかかり始めた。

食事が終って、茶を飲みながらの話が長くなった。

「きょう、クイーン自動車と当社の合併が決まりました。合併覚書に調印したんです」

「大洋自動車とクイーン自動車が合併……」

高望は絶句した。

にわかには信じ難い。かつがれてるような気がしないでもなかった。

「トップ間で極秘裡に話を進めてたようです。わたしもびっくりしました。桜井通産大臣が斡旋したと聞いてます。当社の主力銀行は日本産業銀行ですが、クイーン自動車の主力銀行の関西銀行も含めて、合意が得られたようです」

「クイーン自動車社長の大沢秀雄さんは、兄貴の岳父なんです」

高望は生唾を呑み込んだ。

「関西銀行の副頭取から、クイーン自動車の社長になった人ですが、バンカーには珍しくさばけた人ですよ。兄貴の結婚式で一度話しただけですけど」

「そう言えば、高原さんからうかがった憶えがありますよ」

「それにしても、驚きましたねぇ。クイーン自動車の経営が悪化してると聞いてましたが、大洋自動車が救済合併するということになりますね」

「ええ。トップはよくぞ決断したと思います。合併比率は五対二です。来年八月一日付を以て合併する方針ですが、資本金は三百五十億円から三百九十八億円に、従業員は二万三千人から三万三千人になる見通しです。生産能力は月産六万台になるんじゃないですか」

五対二の合併とは、クイーン自動車の株式名簿に記載された株主に対して、その所有する株式五株に対して大洋自動車の株式二株の割り合いで割り当て交付することになる。

この合併比率に、両者の力関係が端的に示されていた。

前年の昭和三十九年十月に開催された東京オリンピックをピークに日本経済は低迷し、不況は深刻の度合いを深めていた。

二日前の五月二十九日付の各紙朝刊は、倒産寸前の大手証券会社に対する日銀特融を一面トップで大きく報じたが、証券不況に象徴されるように経済界、産業界は不況一色に塗りつぶされ、快進撃を続けてきた自動車業界もその例外ではなかった。

大洋自動車はわが国第二位の総合自動車メーカーだけに、赤字転落だけは免がれていたが株価は百円前後に低迷、収益の低下は予想以上に厳しかった。

ライバルのセントラル自動車は、自動車業界のトップメーカーで抜群の収益力を誇っていたが、そのセントラル自動車でさえ株価は百三十円と冴えないくらいだから、量産体制を整備し切れていないクイーン自動車が経営危機に見舞われるのも仕方がないと言えた。

クイーン自動車は、値下げによる販売競争から脱落したのである。

企業格差の拡大は、自動車業界に再編成の気運をもたらしたが、大洋自動車とクイーン自動車の合併発表は、資本自由化が進展しているときだけに、大きな反響を呼ぶと予想された。

「大洋自動車にとって合併のメリットはあるんでしょうか」

「両社のシェアを単純に合計すれば、わが国最大の自動車メーカーが誕生することになるんですから、業界のトップに立つことのメリットはあるんじゃないですか」

「しかし、クイーン自動車の経営内容からすればデメリットのほうが大きいとも考えられますね」

「さあ、どうでしょうか」

草部は言葉をにごした。

セントラル自動車に追いつき追い越すことが大洋自動車の悲願だから、クイーン自動車を吸収合併することによって、凌駕できるとなれば、大洋マンとしてこれほど痛快なことはない。しかし、負担もまた小さくないはずだから、痛しかゆしの複雑な心境とみてとれる。

「大沢さんは合併を機に退任するんでしょうか」

高望が煎茶をすすりながら訊くと、草部はかぶりを振った。

「大洋自動車にクイーン自動車を救済合併させる功労者ですから、副社長として遇するんじゃないですか」

「だとしたら、もっと仲良くしておかなければいけませんね」

高望は冗談ともつかずにつづけた。

「啓発社製作所ごときケチな部品メーカーを大大洋《だい》の副社長さんが相手にしてくれるとは思えませんけど……」

「とんでもない。部品メーカーは大小を問わず、大切にしなければいけません。それはそうと、お兄さんの会社の景気はどうなんですか」

　高望は眉をひそめた。

　ニチベアは、浦和から長野へ生産拠点を移行しつつあったが、ベアリングの品質上の問題で三十九年は大幅な欠損となり株価も額面を割るところまで低迷していた。

「去年はさんざんでしたが、今年に入って盛り返してるようですよ。アメリカがベトナムに参戦して、米軍向けにベアリングの大量の発注が寄せられてるという話です。兄貴は少し功を急ぎ過ぎてるようですが、勘のいい人だから、遠からず長野工場も軌道に乗るんじゃないですか」

　アメリカがベトナム戦争に介入し、北爆《ほくばく》を開始したのは四十年二月七日だが、ニチベアはベトナム特需でひと息つき、業績も上向きに転じていた。

　高望が話題を大洋自動車とクイーン自動車の合併問題に戻した。

「合併が白紙に返されることはないですか」

「……………」

「大洋自動車さんの組合は同盟系ですが、クイーン自動車は総評傘下の単産（産業別単一組合）に加盟してるわけでしょう。水と油の関係で、うまくいくんでしょうか」

「その点は、たしかに頭の痛い問題です。聞くところによるとクイーン自動車の労組執行部は、反独占の立場から合併に反対してるらしいんです。二つの組合が反発しあって融和しないようですと、合併の効果はあがりません。皆んな心配してますよ」

「自動車労連の塩野会長は大変な辣腕家だと聞いてますけど、クイーン自動車の労組執行部を籠絡するぐらいのことは朝めし前にやってのけるんじゃないですか」

「いくら塩野でも、そう簡単にはいかないと思いますよ。塩野をご存じですか」

「一度だけ拝顔の栄に浴しました。えらい人ですから、部品メーカーの経営者なんぞはなかなか会っていただけませんよ」

高望の口調は皮肉っぽくなっている。

高望が浜松町の大洋自動車労連会館に呼び出されたのは、ひと月ほど前のことだ。

大洋自動車傘下部品メーカーのベースアップについては大洋自動車労連部労によって要求幅が決められ、経営側の代表と交渉が行なわれるが、ここで決定したベースアップを部品メーカーの各労使は順守しなければならない。

しかし、経営努力、企業努力によって部品メーカー間に企業格差が生じるのはごく当然である。

金利負担の有無、投資効率および生産性のいかんなど部品メーカー間に格差がつく要素はいくらでもあげられるが、業績によってA、B、Cの三段階に若干の差がつけられるとはいえ、それにしても各部品メーカーの主体性が認められない点に、高望は不満を持っていた。

昭和四十年は、不況色を反映して、ご多分に洩れず部労傘下部品メーカー組合員のベースアップは低水準に押えられたが、啓発社製作所の労使はひそかに前年並みで合意していたのである。

どういう経路で労連本部の知るところとなったかは定かではないが、高望は、一方的に時間を指定されて、労連事務局長から電話で出頭を求められた。

労連本部ビルは浜松町駅から徒歩五分足らず、恩賜公園芝離宮の近くにある。

塩野の前任者である三宅が労連会長時代に会社側に働きかけて建てさせた労連本部ビルは、鉄筋コンクリート七階建て、会社から無償で貸与されているとはいえ、当時、これほど豪華なビルを保有している組合はほかになかった。

指定された十一時より十分前に、高望は労連本部に着いた。

一階の受付で名刺を出すと、四階に行くように指示された。エレベーターで四階に上がると、労連詰めの若い専従に迎えられ、会議室に案内された。

「会長はここに坐りますので、そちら側へどうぞ」

塩野の席は窓側の中央と決まっているらしい。高望は、廊下側のテーブルの前に腰をおろした。

二十分待ち三十分待っても塩野はあらわれなかった。

人を呼びつけておいて、三十分も待たせるという法はない。

高望はいらいらしてきた。窓外に眼を向けて箱庭のようにほしいままに一望できる芝離宮を眺めながら、懸命に気持ちを鎮めた。

正午を五分ほど過ぎたころノックの音が聞こえた。

塩野だった。塩野は四人の組合幹部を従えていた。

高望は渋茶一杯で一時間以上も待たされたことになる。

「やあ、お待たせしました。よんどころのない急用が出来《しゅったい》しまして……。さあ、どうぞお坐りください」

塩野はさすがに愛想がよかった。

高望は硬い顔で五人に名刺を出した。

「啓発社製作所の高原でございます」

「塩野です……」

塩野がそうしたからか、四人とも名刺を出さず、肩書と名前を名乗った。

高望はなんだか、ひどく莫迦にされたような気がした。

「啓発社製作所さんは景気がいいみたいですねぇ」

うすら笑いを浮かべながら塩野が切り出した。

ほとんど猫撫で声に近い。

「それほどではありませんが、大洋自動車さんのお陰で、なんとか赤字を出さずにやっております」

「今年の春闘で、大盤振舞をされたようですが、皆んな羨やんでますよ。労連の体面はありませんね。ここにいる幹部は、それこそ幾晩も徹夜して、経営側とやり合ったんです。大洋自動車圏で働く者は、部品メーカーも販売会社も、インテグレーション、労使一体が原則ですが、だからこそベースアップにしても一時金にしても真剣に労使間で討論し、検討してるんです。啓発社製作所のやりかたは、われわれの努力を愚弄するようなものだとは思いませんか」

「…………」

「高原君のところは、社員食堂も大変立派なんだそうですねぇ。昼食代も夕食代もほとんど会社で補助してると評判ですよ。社宅も独身寮も豪華なんですってねぇ」

高望は内心舌を巻いた。横川から聞いたのか、塩野はそんなことまで知っていた。

「たいしたことはしてませんが、従業員の定着率が悪いものですから、少しでも待遇をよくしたいと思いまして」

「労連の神経を逆撫でするようなことはしてもらいたくないなあ」

塩野の口調が急にぞんざいになった。

「それとも部労から脱会するかね。大洋圏にいたくないっていうんなら、それならそれでこっちにも考えがある。川瀬社長にいつでも話してやるよ。川瀬さんは僕のいうことをよく聞いてくれるんだ。川瀬さんと僕は、きのうきょうに始まった仲じゃない。川瀬さんを社長にしたのは、僕みたいなもんだ。きみ、そのぐらい知ってるだろう。もう伝説になってるよ」

「よく存じております」

高望は下手に出た。こう高飛車に出られては、ひたすら恭順の意を表する以外にない。

それにしても、産銀出身の川瀬を社長に押しあげたのは、三宅前自動車労連会長のはずではなかったのか。塩野はそれこそ三宅の草履《ぞうり》取りまがいのことをして、二代目会長のポストをせしめたと聞いている。三宅は、三十七年九月に労連会長職を塩野に禅譲して本社業務部長に就いたが、労連を離れたとはいえ、隠然たる勢力を保持し続けた。塩野にとって、三宅ほど煙《けむ》たい存在はない。

「あなたのポストが業務部長というのは労連を舐めています。ラインを止めてでもあなたの取締役ポストを奪ってみせますよ」

塩野は、三宅を焚きつけておいて梯子《はしご》を外したのだ。

組合は三宅の待遇改善を要求して、ラインを止めたが、川瀬の逆鱗《げきりん》に触れ、三宅は人事部付に左遷された。

川瀬にとっても、三宅はなにかしらうっとうしい存在だったのだ。

川瀬は専務時代に、前社長の村上から子会社の社長に飛ばされそうになったことがあった。

村上は、主力銀行で川瀬の古巣でもある産業銀行の承認を取りつけて、川瀬の首を馘《き》ろうとしたのである。川瀬のダーティぶりを具体的に指摘されては産銀としても庇いようがなかった。

ところが川瀬に泣きつかれて三宅がスト権をちらつかせながら村上に撤回を迫ったのだ。村上は三宅に押し切られ、川瀬更迭を撤回し、川瀬に社長の椅子を明けわたし、会長に退いた。

人事権を掌握した川瀬から村上が会長の椅子を追われるまでに、たいして時間はかからなかった。

三宅には借りがあるという思いで、川瀬は三宅の存在がうとましかったから、塩野の仕掛けにあっさり乗ったとも言える。

「こういうことは二度と起こしてもらいたくないなあ。始末書というか念書を出してもらおうか」

「ご指示に従います」

高望は、釈然としなかったが、受け容れざるを得なかった。

あのときの場面を思い出すだに高望は屈辱感で身内がふるえる。しかし、いくら相手が草部でも話したくなかった。

翌年、昭和四十一年四月二十日、大洋自動車とクイーン自動車は合併契約に調印した。

両社労働組合の一本化に見通しが得られたことによって、大洋自動車の経営トップは合併メリットを享受できると判断したのである。

合併調印に際して、大洋自動車の川瀬社長は記者団を前に自信に満ちた口調で語った。

「合併という大事業が果され、その基礎の上に総力が結集されるならば、合併のメリットは最大限に発揮され、多角的経営を展開する大洋自動車は、国民経済の中に大企業としての地位を占めることになろう。それがわれわれの描く明日の大洋自動車の姿であり、合併の真髄でもある」

クイーン自動車労働組合が組合員の全員投票の結果、圧倒的多数を以て総評系単産から脱退したのは、両社が合併契約に調印した数日前である。

大洋自動車労連会長兼大洋自動車労組委員長の塩野三郎は、会社からふんだんに支出される活動資金と得意の弁舌を駆使して、クイーン自動車労組執行委員を各個撃破し、前年十月の同労組定期大会までに執行委員の過半数を抱き込み、第二組合を結成させることに成功した。

第二組合と大洋自動車労組のオルグ活動は猛烈をきわめ、第一組合は四十一年三月末までに事実上崩壊、八月一日の合併と同時に組合の統合が実現するが、その指導力、リーダーシップぶりを社の内外に強く印象づけた塩野は、〝大洋自動車のドン〟の異名を取るまでに力をつけ、わが国を代表するユニオニストとしての地位を確立する。

クイーン自動車を吸収合併した大洋自動車は、景気の回復に伴って増大する需要に対応して四十三年末には月産十万台体制を整えたが、栃木工場の新設などによって四十五年三月には乗用車八万台、トラック五万台の十三万台体制に増強し、年産能力で百五十万台の量産体制を確立した。

4

主力車の〝ブルーライト〟は二度のモデルチェンジで性能の向上が図られ、四十三年九月には日本初の単一車種生産累計が百万台を突破した。

米国を中心とする自動車の海外市場が拡大するのも四十年代に入ってからだ。

啓発社製作所も大洋自動車の量産体制に伴って、生産設備の増強、改良と品質管理の向上に傾注した。

高望は、プレス工場、熔接工場、工機工場などに、ハイプロマスターなる高速自動プレス機、六〇〇トン能力の大型プレス機、スポット熔接機、プロジェクション自動熔接機、万能フライス盤などの新鋭機械を惜しげもなく投入した。

生産性が向上するにつれて、業績も一段と伸び、大宝会に加盟している部品メーカーの中でも超優良企業として他の追随をゆるさなかった。

昭和四十五年四月時点で、啓発社製作所の従業員は二百名に増加したが、戸塚に進出した昭和三十八年時点に比べて、労働生産性は二倍に上昇していた。

高望は、利益を従業員に分配するための方法で頭を悩ませた。

ベースアップについては一度懲りている。念書まで取られているので、労連部労の枠内でやらざるを得ない。

高望は、茅野、伊勢などの幹部と相談し、組合執行部の意見も聞いて、決算期の十月に特別ボーナスを業績に応じて支給することに決めた。

「労連に聞こえるとまずいから、社内限りということにしたいなあ。塩野会長に呼び出されて、脂をしぼられるのは懲り懲りです」

高望は、組合執行部との懇談会で冗談まじりにそんなことを言って牽制球を放っておいたが、特別ボーナスを支給した日の二日後に、労連本部から呼び出しがかかった。

「労連の監視は凄いなあ。労連の情報網はどういう仕組みになってるんですかねぇ。なんだかスパイに監視されてるみたいじゃないですか。啓発社製作所は、大洋自動車に出資してもらってるわけでもないんだから、いくら大宝会のメンバーとはいっても多少のフレキシビリティは認めてもらってもいいと思うんです。すべて労連にお伺いをたてなければいけないんですかねぇ」

高望は、社長室に茅野と伊勢を呼んで嘆いたものだ。

茅野は取締役工場長、伊勢は取締役総務部長に昇格していた。

「労連に出向くのは社長じゃなければいけないんですか」

「僕は外出してて、直接電話に出たわけではないが、山崎君の話では、高原と特定してはいなかったそうです。しかし、責任者と言ってたようだから、むこうはそのつもりなんでしょう」

高望はしかめっ面で、伊勢に返した。

山崎君とは、秘書の山崎幸子《さちこ》のことだ。

「労連のなんという人から電話をかけてきたんですか」

「たしか、西田とか言ってました」

「労連の副会長ですよ。部労の委員長も兼務してるはずです。相手が塩野会長だと、わたしが参るわけにもまいりませんが、副会長ならわたしでもよろしいんじゃないですか」

「そうですよ。社長が行くまでもないですよ。伊勢さんにまかせたらどうですか」

茅野が、二人にこもごも眼を遣りながら、話をつづけた。

「塩野会長は、いまや雲の上の人になっちゃったそうですね。部品メーカーの社長などには洟《はな》もひっかけないそうじゃないですか」

「そう言えば、昔のことですが、僕は労連本部の会議室で一時間も待たされたことがありますよ」

「十七、八年前は、初代労連会長のカバン持ちで、走り使いをしてたって聞いたことがあります」

「それはそうと、伊勢部長が行くにしてもなにか言い訳を考えておかないと……」

高望が表情をひきしめて、伊勢に言った。

「いい知恵はありませんか」

伊勢は「うーん」と唸り声を発して、天井を仰いだ。

「労連の存在意義は小さくないと思いますけれど、なんだかお役所みたいになっちゃって、ついていけない面がありますねぇ」

「ほんとうに官僚的ですね」

高望が、茅野に答えたとき、伊勢の顔が高望のほうへ戻ってきた。

「社長、こんなのはどうでしょうか。従業員に会社の株を持たせるために、特別ボーナスを支給したっていうのは……。持ち株制度を奨励したいが、盆暮れのボーナスはあくまで給料の補塡で、生活のためのものだから、とても会社の株を買える余裕はない。もちろん方便ですが、そんなことで理屈をつけるしかないんじゃないですか」

「なるほど……」

高望は腕組みして、眼をつむり考える顔になった。

「なんだか子供だましみたいな気もしますが、持ち株制度を奨励したい、という言い訳に対して、それはいかんとは言えんのじゃないですか。茅野さん、どう思われますか」

「そうですね。いくら労連でも、そこまでは反対できませんよね」

高望はまだ眼を閉じている。

社長は、この言い訳に反対なのだろうか、と伊勢は気を回した。

やっと高望が眼を明けた。

「いいじゃないですか。グッドアイデアですよ。従業員持ち株制度とは、いいところに気がつきましたね。方便じゃなく、実現を目指して親父と掛け合ってみます。啓発社が保有している啓発社製作所の株を放出してもらえばいいんです。今晩にでも、さっそく親父に話しましょう」

高望の表情は生き生きと輝いていた。

伊勢があきれ顔で言った。

「社長、そこまで考える必要はないと思いますが……。社長のお気持ちは涙が出るほど嬉しく思いますが、これはあくまで方便です」

「だいいち、大《おお》社長が賛成してくれないんじゃないでしょうか」

「そのとおりかもしれないが、話してみる価値はあるし、案外、わかってもらえるかもしれないじゃないですか。従業員を大切にしたいっていう僕の気持ちが通じないわけはないですよ。よし、それでいきましょう」

高望は、左掌に右のこぶしをぶつけてソファから起ちあがった。

赤羽の啓発社に電話をかけたところ、征太郎は外出していた。きょうは戻らないと秘書に言われて高望は、黒門町の別宅へ電話をかけ直した。

征太郎は二年前古稀を迎えたが、赤羽の自邸へ帰ることは少なかった。

高望は、両親の私生活に一切干渉しなかった。征太郎に意見がましいことを言ったこともなかった。むしろ、征太郎の気持ちを別の女に向かわせた責任の半分は、母の隆子にあると思っていた。

時刻は午後四時を過ぎたところだが、征太郎が直接電話に出てきた。

「高望です。会社のほうへ電話をしたんですが……。躰の具合いでも悪いんですか」

「いや、そんなことはない。なにか急用かね」

「ええ。折り入って相談したいことがあります。いまから伺ってよろしいですか」

「いいよ」

「それでは六時過ぎに伺います。食事は家で食べますから、けっこうです」

別宅の女は、征太郎よりふた回りほど歳下だが、粋筋の出にしては、ひかえめで優しい女だった。

征太郎と高望が応接間で話しているときは、茶の仕度だけして、顔を出すようなことはなかった。

この一年ほどの間に、征太郎は老化が急速に進んだように見えた。二、三年前は齢より十ほど若く見られるのが自慢だったが、年齢相応に齢を取ったということなのだろうか。それにしても、しばらく会わなかったせいか痩せ細って艶がなくなり、白茶けた顔のひたいや、こめかみのあたりに静脈が浮きあがって、病人と話してるような気がした。

ときどき痰の絡んだ咳をするのも、高望は気になった。

高望が用件を話すと、征太郎はひどく不機嫌になった。

「しばらくぶりに会いたいというから、なにかと思えば、そんなくだらんことか」

「くだらんこととは思いませんが。従業員に会社の株を持たせることは、士気の向上につながりますし、俺たちの会社という意識を持たせることはいいことでしょう。株を只でよこせと言ってるわけじゃないんです」

「あたりまえだ。只でくれてやる莫迦がどこにいるか」

征太郎の吐き出すような言いかたに、高望は言葉の接ぎ穂を失った。

二人とも、しばらくむすっと押し黙っていたが、高望が気を取り直して言った。

「そもそもは、労連に対する特別ボーナスの言い訳ですが、僕は素晴しい発想だと思うんです。お父さんが会社は俺のものだと考えてるとしたら、失礼ながら時代錯誤です。啓発社製作所は、お父さんがつくった会社かもしれませんが、育てたのは僕と従業員です。従業員を大切にしたいと考えてはいけないんですか」

征太郎はすさまじい咳をしてから、じろっとした眼で高望をとらえた。

「おまえはいつから共産主義者になったんだ。従業員に株を持たせるなんて危険思想だな。そんな考えに賛成できるわけがない。ためしに征一の意見を聞いてみろ。あいつだって反対するに決まってる」

「兄貴には関係ありません。啓発社製作所のオーナーはお父さんなんですから」

「だったら、まかりならん」

けんもほろろで、取りつく島もなかったが、高望は懸命に言いたてた。

「どこを押したら共産主義者なんて言葉が出てくるんですか。家族主義的な経営のどこがいけないんですか。啓発社にしろ、啓発社製作所にしても、そうした経営をしてきたからこそ成功してるんじゃないんですか」

「そんなに従業員に株を持たせたかったら、おまえの持ち株を分けてやったらいい」

「…………」

「いや、それもいかん。株を持たせるとしたら茅野ぐらいだな。あいつは、おまえの片腕として長い間頑張ってきたんだから、そのぐらいはいいだろう」

茅野の言ったとおりになった。征太郎の頑さは、高望の予想をはるかに超えていたのである。

伊勢が二度三度と労連に足を運んで、釈明した結果、労連は啓発社製作所の特別ボーナス支給問題を不問に付した。
最後は塩野に伺いをたて、塩野が裁定したのである。

第五章　議員誕生

1

四十五年の晩秋のことだ。昼食を終えた高望が二階の社長室に戻って、なにげなく窓外へ視線を投げると、玄関脇の池の鯉に餌を与えている伊勢の姿が見えた。池というより防火用水用のプールだが、観賞用に錦鯉を飼っていたのである。時間は一時まで十五分ほど残っていた。

伊勢繁は、十年前、公共職業安定所の紹介で、田端の啓発社製作所に四十七歳でシャーリング工として入社した。プレスの素材である鉄板を切断する仕事だが、プレス工場の中では最も厳しい重労働だ。

元海軍士官で、機関工作関係の仕事に従事していた伊勢は戦後、千葉で運動具店を経営したこともあるが、武家の商法で失敗し、日給四百五十円の工員に落魄《らくはく》したことになる。

もっとも、職業に貴賤の別はないという考えの持ち主だったから、文句も言わずにひたすら働いた。

就業時間内に仕事を片づけるためには煙草を服《の》む時間も惜しんだ。腰痛にも悩まされたし、手の甲が腫れあがるほど辛い仕事だったが、社長の高望でさえ、現場の力仕事で頑張っているのだから文句を言えた義理ではないと思うしかない。

ひと月どころかたった一日で辞めていく者もいたが、伊勢は音《ね》をあげなかった。

伊勢の入社は三十五年二月だが、三ヵ月後に女房の治江《はるえ》が入社した。

倉庫の荷作り係の女子従業員の欠員が出たとき、伊勢が高望に治江を売り込んだのだ。

「わたしよりひと回りほど齢下ですが、よう働きます。ためしに使ってみてくれませんか。履歴書を持ってきます」

「伊勢さんの奥さんなら働き者に決まってます。履歴書なんか必要ないですよ。さっそく明日からでも来るように言ってください」

伊勢夫婦の勤務ぶりは、若い従業員たちに刺激を与え、皆んなのやる気を引き出した。

伊勢は三ヵ月で班長に、一年でシャーリング工を卒業して課長に昇進、五年後には事務部門のすべてをまかせられ総務部長になった。そして、高望は十年後には取締役に抜擢した。

治江は戸塚に本社工場が移転してから、独身寮の責任者に取りたてられた。

伊勢の最大の功績は、昭和三十年代後半から四十年代前半にかけての高度成長期の求人難を乗り切ったことである。

沖縄出身の伊勢は、沖縄に労働力を求めて奔走した。

「沖縄から人を集めてきます。一週間か十日間、時間をください」

昭和四十一年三月に伊勢から申し出られたとき、高望は半信半疑でOKを出したが、伊勢は中卒男子を中心になんと二十三人の若い男女を引率して帰って来た。

羽田に伊勢を出迎えたときの高望のうれしそうな顔といったらなかった。

高望は、希望と不安のないまざった複雑なまなざしを向けてくる若者たちひとりひとりと固い握手を交わしたあとで、伊勢の耳もとで言ったものだ。

「どんな手品を使ったんですか。せいぜい五、六人も採用できれば御《おん》の字だと思ってたんです。電報には二十三人とあったが、間違いじゃないかと、茅野君たちと話してたんです。この眼で確認するまでは信じられませんでした」

「少しは見直してもらえましたか。わたしは沖縄ではちょっとした顔なんです。家良《やら》さん初め、教育関係者につてがたくさんあるんです」

「それにしても大企業が沖縄に労働力を求めて殺到してるっていうじゃないですか。うちみたいな中小企業に……」

「会社案内のパンフレットにしても、大企業はカラー印刷の豪華なのを作って持ち込んで来てましたが、啓発社製作所は、ガリ版刷りですからなあ。あれだけはちょっと恥ずかしかったですよ」

「時間なかったからねぇ。総務部長が沖縄から人を採ると言い出すのが遅かったんです」

「ガリ版刷りは、心意気でカバーしました。それに家良さんに信頼されてますから、大企業なんてくそくらえです」

家良朝苗《ちょうびょう》は、琉球政府文教部長および沖縄教職員会会長職にあって、戦争で荒廃した沖縄教育界の再興に尽くす一方、昭和三十五年四月に結成された沖縄県祖国復帰協議会会長として、施政権の返還に取り組んでいた。

篤実で温厚な家良は、沖縄の人々から敬愛されていたから、家良を頼って、沖縄に乗り込んだ伊勢には人集めで勝算があったのだ。

「伊勢さん、この子供たちを裏切らないように大いに頑張りましょう。啓発社製作所に入社して、よかったと言われるようにしなければ……」

高望が、上気した顔で言うと、伊勢はしたり顔で返した。

「社長は自然体でいいんですよ。肩に力を入れる必要はないですよ。その点はただの一度も社長に裏切られたことのないわたしが、保証します」

しっかり者の治江が独身寮を取り仕切っていたことも、寮住いの従業員にとって幸いであった。

治江は、沖縄出身者も含めて寮生全員に預金通帳をつくらせ管理していたが、預金をおろしたい、と言ってくる寮生には伊勢に内緒でカネを貸してやるほど気を遣った。六畳の一部屋に二人で入室し、三度の食費、光熱費など一切合切で、寮費は月二千円である。仕事の内容はけっこうきついが、給料の水準も高いので、不平を言う者はいなかった。

毎年沖縄から定期的に人を採用できるようになり、四十五年十月現在で、啓発社製作所の社員二百人中八十人が沖縄出身者で占められていた。

家良が昭和四十三年十一月十日の琉球政府主席公選で、革新側から立候補したとき、高望は伊勢に片目の大ダルマと百万円の献金を持たせて沖縄に出張させた。事実は、家良の選挙戦を応援したいので会社を休ませてほしい、と伊勢が頭を下げてきたのだが、高望は、出張扱いで快諾したのである。

選挙戦は終盤に入っていたが、保革の一騎討ちは予断をゆるさなかった。「このダルマはめしをたくさん食べますから足りなかったら、言ってください、と家良さんに伝えてくれませんか」と高望は、伊勢に伝言した。

家良は当選した。

伊勢は高望に、「タダイマダルマニメガハイリマシタ」と電報を打った。沖縄では、ダルマの目入れなどの習慣はなかったが、伊勢がダルマを持ち込んでから、選挙などでダルマが縁起ものとして使われるようになった。

家良主席が総理大臣の加藤勇作など政府関係者を表敬訪問したのは十二月上旬だが、そのついでに、東京周辺の大企業の工場を見学することになった。

家良の側近から、伊勢に電話がかかり投宿中のホテルへ夜分にでも挨拶に来ないか、と言って来たが、伊勢は側近に絡《から》んだ。

「家良主席は大企業ばかり行ってるそうですが、いの一番に啓発社製作所を見学すべきではないんですか」

「強行日程でそんな余裕はないんです。それに沖縄から大量に人を採用してる会社を優先しなければならないので、今回は勘弁してください」

「絶対量ではたしかにウチは少ないかもしれませんが、密度からすれば、大変なものですよ。全従業員の四〇パーセントが沖縄出身者で占められてるんです。ちょっと言いにくいんですが、選挙でも、ささやかとはいえ応援させてもらったじゃないですか」

会話が途切れた。

「もしもし……」

「主席と相談して返事をします。折り返しもう一度電話をさせてもらいます」

十五分後に、側近から伊勢に電話がかかった。

「主席はあすの日曜日の午後でよろしければ、啓発社製作所に高原社長をお訪ねしてもけっこうだと言ってますが、いかがしましょう。日曜日は休息日に当ててたんですが、主席はよろこんで伺わせていただくと言ってます」

今度は、伊勢のほうが返答に窮した。

土曜日の夕方で、高望は退社して会社にいなかった。

まっすぐ帰宅すると言ってたから、そろそろ家に着くころかもしれない。

しかし、相談するまでもない。日曜日では工場は止まっている。ろくなもてなしができない。

だいいち、高望はある部品メーカーの社長とゴルフに出かけることになっていた。

こっちから仕掛けておいて、またの機会にしてもらうのは気がひけるが、日曜日という事情を考えれば仕方がないとも言える。家良主席一行も、そのほうがありがたいのかもしれぬ――。そう思いながらも、伊勢は高望宅へ電話をかけた。

「家良さんがお見えになるんなら、ゴルフはキャンセルしましょう。日曜日だが、できるだけのおもてなしをしようじゃないですか」

案に相違して、家良主席一行の表敬訪問を受けよう、という高望の返事である。

伊勢は、残業していた事務員を総動員して準備にかかった。地元の警察署長や職安所長などにも声をかけた。寮生に禁足を命じ、とくに沖縄出身者は、全員家良主席の歓迎会に出席するよう独断で〝社長命令〟を出した。

家良夫妻に側近三人を従えた一行五人が、パトカーに先導されて啓発社製作所に到着したのは、午後二時過ぎだった。

家良主席の来訪とあって、新聞社、テレビ局が取材にやって来たため、啓発社製作所が全国紙およびテレビニュースで大きくとりあげられた。もちろん初めてのことだ。

高望の案内で一行は工場の隅々まで見学した。

要所要所ではとくに機械を動かして、高望は沖縄出身の従業員に製造工程などを説明させた。

鉄筋コンクリート四階建ての独身寮の中に入って寮生活のたたずまいに触れた家良は、

「至れり尽くせりですね。伊勢さんが大企業よりも充実していると自慢してましたが、予想以上に素晴しいですよ」と感想を述べたが、あながちお世辞ではなかった。

食堂を歓迎会場にして、高望の歓迎の挨拶、家良の従業員に対する激励の言葉、従業員代表の答辞、そして家良夫妻に対する花束贈呈などのセレモニーが終ったのは午後四時、そのあと一時間ほど応接室で茶を喫みながら懇談した。

「日程に入れてませんで、失礼しました。伊勢さんにねじ込まれて、急にやって来ましたが、ほんとうに来てよかったと思います。高原社長の従業員福祉に対する力の入れかたに感動してます。本日はほんとうにありがとうございました」

家良は高望に深々と頭を下げた。

「恐れ入ります。準備の時間がなくて、ゆき届きませんで……」

「沖縄の子供たちの評判はいかがですか。やはり内地の子供に比べると、見劣りするんでしようねえ」

「皆んなよくやってくれてます」

伊勢が嘴《くちばし》を入れた。

「いや、いまのは社長のお上手です。沖縄出身者の評判が悪いんですわ。実は、二、三日前にも社長に叱られたんです。ずいぶん気を遣ってるつもりなのに、どうして辞めてしまうのかって。他府県の寮生に比べると定着率がようないんです」

沖縄では、日本本土を内地とか他府県という言いかたをする。

伊勢は茶をひと口すすって話をつづけた。

「観光気分で、東京に来ているような甘えたところがあるんです。沖縄人には飽きっぽいところがありますが、こればかりは、風土とか文化とか歴史の違いによるものもありますから、企業努力だけではどうにもならない面があると社長に話したんです」

「会社を辞めた人たちは沖縄に戻って来てるんでしょうか」

家良夫人が誰ともなしに訊いた。夫人は灰色の江戸小紋に黒のつづれ帯のいでたちで、気品の良さを漂わせていた。

「いや、ほとんどはよその会社に移ってるようです。ところがまた啓発社製作所で働きたいと言ってくる者もおるんです。待遇がよそとは違いますからねぇ。三食付で、それも美味しいものを食べさせてもらって、寮費が月二千円なんて会社はほかにありませんよ」

伊勢が答えた。

「一度辞めた者は受け入れていただけませんでしょうね」

「いいえ。社長は寛大で、心やさしい人ですから。わたしが反対しても、伊勢君いいじゃないかって、OKしちゃうんです」

「まあ……」

夫人は絶句して、ハンカチで口をおさえた。

「僕は、社員に辞められるのが、いちばん閉口します。つらい気持ちになります。管理する側に落度があるんじゃないかって悩むんですよ」

「ありがとうございます。そんなによくしていただいて……」

夫人はくぐもった声で返し、眼鏡を外して涙をぬぐった。

高望がしめった空気を変えるように、ことさらに明るい声で言った。

「伊勢部長の奥さんが寮母をしてますが、実にゆき届いた人で、寮生から慕われております。預金通帳を奥さんが管理しておりまして、よほどの理由がない限り預金をおろさせないんです。同業他社では親御さんから仕送りさせてる者がおると聞いたことがありますが、わが社でそんな者は一人もおりません。逆に、親御さんに仕送りしてる者はおりますがね」

「ここの寮におる限り、おカネを使うことはありませんからねぇ。父兄のかたが心配してよく会社を訪ねて来ますが、日曜日などに社長が東京見物などで案内役を買って出てくれます。

東京の一流ホテルでご馳走になって、お小遣いまでもらって皆んな一生の思い出になると感激してますわ。わが子をこの会社なら安心してあずけられると思うはずですよ」

「伊勢部長、もういいから……」

高望は、伊勢がまだ話したそうなので、手で制した。

「食堂を歓迎会場にしました関係で、きょうはおもてなしができません。ほんとうは寮生と一緒に食事をしていただきたかったんですが、日曜日で手も足りないようです。築地のふぐ料理屋に席を設けておりますので、そろそろまいりましょうか」

高望は、〝ふく源〟に一行を案内して、伊勢と二人で歓待した。


鯉に餌をやっていた伊勢は、高望の視線に気づいたわけでもないのだろうが、二階の社長室のほうをふり返った。

高望は窓をあけて、手をあげた。

「やあ!」

「どうも!」

伊勢も手を振って答えた。まるで懐しい人にでも出会ったように手の振りかたが、莫迦に派手である。

高望は、ぶらっと社長室を出て池まで歩いて行き、伊勢のそばにしゃがみ込んだ。

二人ともグレーの作業服を着ている。

「いつの間にか大きくなったねぇ。総務部長はまるで鯉の餌係みたいですね」

「いや。鯉を見るのが愉しいんです。鯉といえば、鯉の滝のぼりというくらいだから、立派な魚なんでしょうが、社長は鯉とはわけがちがいますね」

高望は、むっとした顔をした。

「僕は鯉ほど立派じゃないことはわかってますが、さしずめ雑魚《ざこ》だっていいたいんですか」

「いや。そうじゃなくてその逆ですよ。いま、鯉に餌をやりながら、社長のことを考えてたんです……」

「そう。僕は、あなたのことを考えてた。入社したての昔のことを……。最近、沖縄から採った人たちの定着率がよくなってますねぇ。うれしいじゃないですか」

伊勢は、それには答えずに言った。

「社長は、こんな小さな池では器が小さ過ぎます。大洋のまん中で堂々と泳ぎ回る鯨とでも言ったらいいのか、とにかく啓発社製作所では舞台が狭過ぎますよ。お兄さんの征一さんは、ニチベアを一部上場会社に育てるなど、快進撃を続けてますが、社長は征一さんなんかとはスケールが違うと思うんです」

高望はかすかに眉をひそめた。

「兄貴とは、価値観、人生観が違います。ニチベアはもっと大きくなるんじゃないですか。

僕は会社を大きくすることよりも社員のことを先に考えたいですね。幸せの尺度なんて人によって違うんでしょうが、征一のような考えかたには与《くみ》しません。かれは、会社は株主のものだと考えてるようですが、それはオーナー経営者だからこその発想で、カマドの灰まで自分のもの、という考えかたと変るところはないですよ。会社はそこに勤める従業員のものと考えるほうがまっとうなんじゃないですか。所詮、大洋自動車という枠組みの中でしか仕事ができないということで、ひがんで言ってるみたいに取られると困るが、会社を大きくすることばかりに固執するのはいかがなものか、と僕は考えてます。だからといって征一の生きかたを全面否定するつもりはありません。考えかたの問題なんでしょうが、少なくとも僕はあの男の生きかたとは違うと申しあげたいですね」

高望はむきになっていることに気づいて、きまりわるそうに一層顔をしかめて、つづけた。

「失礼しました。兄貴とは子供のころからライバル意識みたいなものがあるんです。むこうは、僕をもっと意識してるようですけど、本音を言えば、兄貴には到底かなわないと思ってますよ。目的のためには手段を選ばないような非情というか凄みみたいなものが兄貴にはありますけれど、その点、僕は大甘ですから」

伊勢が手を振って、高望の話をさえぎった。

「わたしの言いたいことは、そういうことじゃないんです。社長は経済人、事業家としても立派ですが、政治家として、もっと大成するんじゃないかって気がするんです」

「政治家ですか」

高望は、怪訝そうに首をかしげた。

「そうです。政治家です。それも県議会とか市議会とか地方レベルじゃなくて、国政です。社長なら、やれますよ。演説をやらせたら右に出る者はいないし、人の面倒みはいいし、政治のための政治ではなく、人々のための政治ができる人だと思うんです。わたし自身選挙が好きだから言うわけではないですけれど、社長が立てば、わたしに限らず、担ぐ人はいっぱいいるんじゃないですか」

高望は、なぜかぎくっとした。血が騒ぐといえば大袈裟な気もするが、不思議に胸の中がざわざわする。

「そう言えば、家良さんが主席に当選したときひどく興奮してましたねぇ。ダルマに目が入った、と電報を打ってきたことがあったじゃないですか」

高望は冗談にまぎらわしたが、社長室に戻っても、胸のざわつきが取れなかった。

十日ほど経ったある日の夕刻、高望は社長室に伊勢を呼び、改まった口調で切り出した。

「あなたにけしかけられて、考えてみたんだけど、僕に政治家になれる素質なんかありますかねぇ」

「ありますとも。大ありです」

伊勢は、眼の色を変えて、膝をすすめてきた。

「わたしは思いつきで、あんなことを申しあげたわけではありません。社長ほど政治家としての素質を持ってるかたは少ないんじゃないですか」

「政治の世界って、ドロドロしてるんでしょう。僕には清濁合わせ呑むような器量はないですよ」

「家良さんのような清廉潔白な人だって主席になれるんです。担いでもらいたがっている人はたくさんいますが、皆んなが担ぎたいと思う人がほんとうの政治家なんじゃないですか。中小企業の経営者と、そこで働く人々のために社長は立ちあがるべきです」

高望が照れくさそうに、頬のあたりをさすりながら言った。

「政治にはカネがかかるし、中小企業経営者には、やっぱり無理ですよ」

「カネなんて、いくらでも集りますよ。社長は経営研究会のリーダーではありませんか。大宝会の部品メーカー百社から百万円ずつ集めたって一億円になるんですよ。大宝会の経営者の中から一人ぐらい政治家が出たって不思議ではありません」

経営研究会とは、大宝会に加入している部品メーカーの二世経営者二十人程度で組織している集りだが、高望は同研究会の会長だった。

「支援母体の組織化については問題ありません。問題は集票能力ですが、自動車労連は当てにできると思います。社民党から立候補する手があるじゃありませんか」

「…………」

「わたしに三年時間をいただければ、地盤づくりをやります」

「考えさせてもらいます。しかし、この件は二人限りで、絶対、他言を禁じますよ。僕は当分、家族にも話すつもりはありませんから」

高望は、明らかに気持ちが動いていた。

2

伊勢は、仕事の半分は高望の地盤づくりに割くようになった。

地元の町内会などの会合にまめに顔を出させ、啓発社製作所主催の運動会や盆踊り大会などをひんぱんに開いて、地元民に高原高望の名前を売り込んだ。建前は、地域社会との融和だが、本音は選挙である。

高望が、初めてその意思を明らかにしたのは、四十七年六月下旬のことだ。

この年の四月に、征太郎が七十四歳の生涯を閉じた。死因は胃癌である。入院したときは手遅れで、全身に癌細胞が転移し、開腹後すぐに縫合しなければならなかった。

征太郎の四十九日で親戚が集まったときに、選挙の件を持ち出そうかと考えぬでもなかったが、まだ肚を決めかねていた。

高望は、六月中旬に、伊勢と二人で沖縄に出張した。名目は、従業員の採用問題で関係方面を表敬訪問するということにしたが、目的は知事選挙の実態を見聞することと家良を応援することにあった。

沖縄返還協定に日米両国政府が調印したのは前年の四十六年六月十七日だが、四十七年五月十五日に正式に復帰、沖縄県が発足、六月二十五日が戦後初の知事選挙であった。

高望は、家良の応援演説を買って出たのである。

正確に言えば、伊勢にたきつけられて、その気になったということになろうか。

高望の演説は、家良を驚かせた。一本調子ではなく抑揚をつけて語りかけるように訴えるので、聴衆の胸にひびくのだ。論旨も明快だった。

家良は当選した。

高望がこれほどまでに興奮し、高揚したことはなかった。

誰かれなしに握手したいような心境だった。あたかも高望一人の働きによって家良を当選させたような興奮ぶりだった。

祝賀会のあと、高望と伊勢は深夜まで那覇のホテルで語り合った。二人とも浴衣姿だった。

「社長は家良さんの当選をご自分のことのように喜んでおられましたが、今度は社長自身が皆んなに担がれる番ですよ」

「しかし、自分が選挙に出るとなれば話は別ですよ。僕はひとの選挙を手伝うくらいがちょうどいいんじゃないかなあ」

「どうして、そんなことをおっしゃるんですか。さっき家良さん……」

伊勢は、「家良知事は」と言い直して、つづけた。

「高原社長の弁舌さわやかぶりに、いたく感動したと話してたじゃないですか。高原社長のお陰できっと相当票が入ったんじゃないか、って言ってました」

「家良知事は僕に気を遣ってくれたんですよ」

「家良知事はお世辞を言えるような人ではありませんよ」

伊勢は浴衣の袖をたくしあげ、怒ったように下唇を尖らせた。

「これで社長の肚は決まったと思ったんですがねぇ」

「迷ってないと言えば嘘になります。あなたのお陰で沖縄知事選で選挙というものを勉強させてもらって、気持ちも高揚しました。しかし、いざ自分のことになると、なかなか踏ん切りがつきません」

伊勢が愚痴っぽく言った。

「社長らしくないですよ。もう、あとへは引けないという気持ちにならなければおかしいんです。社長は決断の早い人ですのにねぇ」

「仕事のこととはわけが違いますよ」

「わたしにまかせていただけませんか。社長ほどのかたを啓発社製作所の社長で終らせたくないんです。わたしの切なる願いを聞き届けてくださいよ」

「ありがとう。伊勢部長の気持ちはうれしいけど、皆んなに反対されるに決まってますよ」

「皆んなって、誰と誰ですか」

「まず家内は、絶対にノーでしょうね」

「…………」

「社員も賛成してくれないでしょう」

「そんなことはないですよ。社員にとって、社長が国会議員になることぐらい名誉なことはありませんもの」

「選挙に出たから当選するとは限らんでしょう。落選したときは、みじめでしょうね」

「いや。必ず当選します。家良知事誕生の瞬間の、あの気持ちをもう一度味わわせてください。お願いです。社長が選挙に勝ったら、あんなものじゃないと思います。最高の気分でしょうねぇ。社長もだいぶ興奮してたじゃないですか。わたしは、社長もすっかりその気になったと思ったんですけどねぇ」

「興奮したことは事実です。もうちょっと考えさせてください」

高望は煮え切らなかった。

3

高望が、ニチベアの東京事務所に兄の征一を訪問したのは、沖縄から帰京したひと月後のことだ。

征一とは気持ちがかようほうではないから日頃疎遠だったが、選挙の件で兄の意向を打診しておこうと考えたのだ。

電話でアポイントメントは取ってあったが、高望は応接室で四十分ほど待たされた。

何年か前、大洋自動車労連本部で、塩野会長に一時間以上も待たされたことが厭でも思い出される。よんどころない用件があるからだろうが、指定された時間に訪問して、三十分以上もひとを待たせる法はない、と高望は思うのだ。

征一は応接室に入ってくるなり、にこりともせずに言い放った。

「どういう風の吹きまわしかね。おまえがわたしに会いにくるなんて、よくよくのことなんだろうな。しかし、忙しいから、あんまり時間はないぞ」

「忙しいのはあなただけじゃないですよ。お互いさまです」

高望は、無理に笑顔をこしらえた。

「こっちは中小企業の社長とはわけが違うからな。それで、用件は……」

「選挙に出ることにしました」

高望は、言ってしまってハッとした。自分でも信じられなかった。相談に来たつもりなのに、征一の厭みな態度に反発して、心ならずも強く出てしまったのである。

「選挙って、なんの選挙」

「もちろん国政です。ほんとうは今度の衆議院選挙に出たかったんですが、準備不足なので、再来年の参議院になると思います」

「ふーん」

征一は小莫迦にしたように口の端を歪めた。

「大宝会の人たちが担いでくれてるし、大洋自動車労連の支援も得られそうなんです。神奈川県から立候補します」

「ということは社民党ってわけだな」

「ええ。高原一族から一人ぐらい議員になるのがいてもいいと思ったんです」

高望は気持ちが高ぶっていた。こうなったらあとへは引けない、とつき詰めた気持ちに自分で自分を追い込んでいた。

「血を分けた兄弟に、そんな奇特な人がいるとは知らなかったな」

征一は、湯吞みに手を伸ばしながら、横眼遣いに高望を見上げた。

「高原一族にとってもお役に立てるんじゃないかと思ってるんですけどねぇ」

「もう議員気取りとはあきれたやつだ」

「もちろん、当選したらの話です。勝算はあります」

「おまえの考えは間違ってるな」

征一がずけっと言った。

高望は気色ばんだ。

「どう間違ってるんですか」

「まず動機づけがよろしくない。高原一族のためにお役に立ちたいなどと、言いも言ったりだな。要するにおまえ個人の野心に過ぎんのじゃないかね。高原一族のためなんて言いかたは、おためごかしに過ぎんよ」

「高原一族にとっても――と申しあげたはずです。大宝会加入百社は、いずれもあなたが経営しているニチベアのような大企業ではありません。中小企業なりにいろいろ悩みを持ってます。中小企業経営者や、そこで働く従業員に力になってあげられると考えてます。あげ足を取るような言いかたはしないでください」

「天下国家のためって言いたいのかね。しかし、それもまやかしだな。高原高望個人の野心以外のなにものでもないだろう」

征一は湯呑みをセンターテーブルに戻して、またじろっとした暗い眼をくれた。

「大洋自動車関係の労働組合に支援してもらうという発想もいただけないな。いや、実にけしからん発想だ。親父の征太郎が生きてたら、さぞかし嘆くだろうよ。おまえの足にしがみついてでも、選挙に出ることに反対しただろうな」

征一は、眉間に深いたてじわを刻み込んで、話をつづけた。

「いいかね。征太郎は、大洋自動車の出入り業者としての分というものを心得ていた。実にひかえめだった。大洋自動車の門の前まで車で乗りつけるようなことは決してしなかった。啓発社は大洋自動車出入りのスクラップ屋であり、啓発社製作所は部品メーカーに過ぎん。大洋自動車の労働組合の力を借りるっていうことは、大洋自動車の力を利用しようっていうことだ。大洋自動車の力を利用して自分の野心を満たそうなんて見えすいた料簡はよくないんじゃないかね」

高望は、征一を睨み返して反論した。

「親父の気持ちは、あなた以上にわかってるつもりですが、あなたが大洋自動車に対して、それほどナーバスだとは思いませんでしたよ。しかし、親父とも議論したことがあるし、大洋自動車のかたがたと話したことがあるけれど、大洋自動車とわれわれ部品メーカーの関係は、持ちつ持たれつで、イーブンの関係にあると僕は思ってます。部品メーカーあっての大洋自動車なんです。大洋自動車は部品メーカーに支えられてるんです。もちろん、その逆のことも言えるが出入り業者だから、大洋自動車の力を利用するのはけしからんという言いかたは、卑屈になり過ぎてて、あなたらしくないですよ。もっと堂々と胸を張ったらどうなんですか。大宝会の仲間が僕を担ごうとしてくれてるのは、少なくとも親父やあなたみたいに卑屈になってないからでしょう」

征一は顔をひきつらせて、なにか言おうとしているらしいが、すぐには出てこないらしい。

「おっしゃるとおり僕に野心がないとは言いません。しかし、野心だけというのは言い過ぎです。そういう言いかたはいくら兄貴でも失礼ですよ」

「お、おまえは思いあがってるな。そんなに選挙に出たかったら、出生地であり、現におまえが住んでいる東京の北区で立つべきではないのかね」

征一は口ごもった。

「選挙に出るからには当選を目指して闘うんです。北区から立候補して、当選できる見通しはまったくありません」

「大洋自動車を当てにしたり利用するやりかたには絶対に反対だ」

「僕が議員になったら困るんですか。僕が選挙に落ちることを願ってるように聞こえます。あなたのロジックはおかしいですよ。大洋自動車の労組から支援してもらって当選したら、いくらでも恩返しできるはずです」

まるで弟に国会議員になられたくない、と言ってるようなものではないか。高望は、よっぽど嫉妬めいた感情ではないんですか、と訊いてやりたかったが、その言葉を呑み込んだ。

高望は、征一に面会したことを後悔した。厭な思いをしただけ、損をしたような気分だった。

だが、ものは考えようかもしれない。征一に会ったことによって、肚が固まったと言えなくもない。揺れ動く気持ちに歯止めがかかり、まっしぐらに選挙戦に向かおうとしていることの是非は別として、猛然とやる気が起きてきたことだけは否定しようがなかった。

征一に会う前に、高望が大宝会経営研究会の親しい友人の意向を打診したところ、大日工業の江口社長、本橋フォーミングの木本社長、池田物産の池山社長、丸田工業の丸田社長などほとんどの人たちが賛成してくれた。積極的か消極的かの度合いはあったにしても反対論は出なかった。

木本に至っては、「大宝会から国政に参加する者が出るとしたら高原高望を措《お》いてほかにいません。素晴しいことではないですか。ぜひやってください」と、わがことのように喜んでくれた。

「征一さんとのコンセンサスを取りつけておいたほうがよろしいんじゃないですか」と言ってくれた者もいたが、二人の仲を承知していたら、そういう発言になったかどうか——。

しかし、征一に会ったからこそ肚が固まったのである。いっとき厭な思いをしたが、会ってよかったと考えるべきかもしれない——高望は帰りの車の中でそう思った。

征一と会った日の夜、高望は初めて妻に胸中を打ち明けた。

正子の驚きようといったらなかった。あまりのショックで、口もきけなくなり、放心したようにぼんやりしていた。

「ママには賛成してもらえないらしいね」

「パパがそんな恐ろしいことを考えてたなんて、夢にも思いませんでした」

「恐ろしいこととはご挨拶だなあ。僕が政治家になったからって、天地がひっくりかえるわけではないよ。世のため人のためなんて言うと、怒る人もいるが、少なくとも自分の野心だけではないつもりだよ」

征一の酷薄な顔が眼に浮かんだ。高望はそれを打ち消すように、頭をひと振りして話をつづけた。

「自分では気がつかなかったが、僕には政治家の素質があるらしいんだ。大宝会の連中にも言われたし、伊勢さんなんかもう夢中になってるよ」

「皆さん、ひとのことだと思って無責任なんです」

「そんなことはないさ。僕が選挙に出るとなったら、物心両面で応援しなければならない。それなのに、頑張れって言ってくれてるんだぜ」

「伊勢さんもひどいかたねぇ。そんなに選挙がお好きならご自分で立候補すればよろしいのよ」

「そう言いなさんな。伊勢さんはお祭好きだし選挙も好きらしいが、僕が政治家として素質のあることを、真っ先に見抜いてくれた人だよ。沖縄で家良さんの応援演説をしてて、僕は政治家に向いてるのかもしれないって思ったんだ」

「…………」

「実を言うとね、きょう兄貴に会って話をするまで、迷いがあったが、兄貴に厭みなことを言われて、よし、やってやろうという気になった」

高望は、征一とのやりとりを詳しく正子に話して聞かせた。

「あなたの気持ちはわからなくはありません。でも、それこそ動機が不純ではありませんか。お兄さんの鼻をあかしてやりたいなんて、なんだかおかしくありませんか」

高望はむすっとした顔になった。

しかし、気を取り直し、白い歯を見せて言った。

「兄貴の鼻をあかしてやりたいっていう思いがないとは言わないけれど、それは動機づけとは違うよ。僕は、あの男ほど品性下劣ではないつもりだ。あんな男と一緒にしてもらいたくないなあ」

「とにかくわたしは絶対反対です」

「もし僕が強行したら、ママは僕と別れるって言うつもりかい」

正子は下を向いて口をつぐんでいた。なんだかよくわからないが、切ない気持ちだった。

不意に胸に熱いものがこみあげてきた。

「そんなひどいことを……」

正子に嗚咽《おえつ》の声を洩らされて、高望は狼狽した。

「ママ、いまのは冗談だよ。しかし、きっと僕の気持ちはママにわかってもらえると思うな」

その週の日曜日の午後、管理部門の課長に昇進していた草部が、高望家に顔を出した。

草部は、そこまで来たのでついでに寄ったようなことを言ったが、選挙のことで正子に頼まれて、わざわざ出向いてきたのである。

「大宝会の某氏から聞きましたよ。選挙に出るそうじゃないですか」

「よろしくお願いします」

「高原さんが出ることになれば、もちろん応援しますよ。いや大洋自動車あげて応援しますけど、もっとよく考えたほうがよろしいんじゃないですか」

「二年もじっくり考えた末の結論なんです」

「奥さんはなんと言ってるんですか」

「泣いて反対してますわ」

「そうでしょう。奥さんを泣かせるのはよくないですよ。はっきり申しあげてわたしも反対です。政治の世界なんてどぎつい世界でしょう。高原さんの柄に合わないと思うんです。啓発社製作所の社員の人たちだって、きっと反対なんじゃないですか」

「それが、反対してるのは茅野さん一人なんです。伊勢さんが根まわししたとは思えないんですが、皆んな心から応援したいって言ってるんですよ」

草部は二の句が継げなかった。

「家内もそのうちわかってくれますよ。娘まで動員して絶対反対だって叫んでますが、草部さんも家内の回しものじゃないんですか」

「いやいや、とんでもない」

草部があわてて手を振ると、高望はふっと寂しそうな顔をみせた。

「娘は口もきいてくれません。これには参ります。気持ちが挫けそうになりますよ。しかしねぇ、男がいったんこうと決断したんです。家内と娘に反対されたくらいで翻意するわけにはまいりません」

「そうですか。佳子さんまでねぇ……」

さっき、客間に茶菓を運んで来たのは佳子だった。

日本女子大学付属高校の一年生と聞いているが、しばらく見ないうちに、美しい娘に成長していた。挨拶の仕方といい、言葉遣いといい、恐縮するほど丁寧で、よそよそしいと思わぬでもなかったが、父親のほうを見向きもしなかった。理由がわかってみると、微笑を誘われる。

「奥さんと佳子さんの賛成を取りつけてから、最終的な態度を決められたらどうですか」

「ええ、まあねぇ」

高望はあいまいにうなずいたが、誰がなんと言おうと、次の参議院選挙に立候補するつもりだった。

4

昭和四十八年一月二日に、高望は、年始の挨拶で大洋自動車取締役の横川久を訪問した。横川は、引き続き購買部門を担当していた。

「暮れのうちにご挨拶に参上しなければいけなかったのですが……」

高望は袱紗《ふくさ》の中から白い封筒を取り出して、センターテーブルの上に置いた。封筒の中には手の切れるような新札の一万円札が百枚入っていた。分厚いはずである。

征太郎の時代から、盆暮れの付け届として、ずっと続けてきた習慣だった。

横川のほうから暗に請求したのかどうかまではわからないが、長年の習慣で、贈るほうも贈られるほうも、うしろめたいという思いはなかった。当初は一度に五十万円、年二度で百万円だったが、二年前から百万円に増額された。

啓発社製作所だけの習慣とは思えないから、大変な実入りである。

高望自身が届けたのは今度が初めてだった。

「どうも」

横川は、なにくわぬ顔で封筒を羽織の袂に入れた。

「選挙のこと聞いてるよ。一度、川瀬に挨拶しておくといいね」

「ぜひお願いします。かねがね川瀬社長にはご挨拶させていただきたいと存じておりました」

「兄さんが、きみの出馬に反対らしいねぇ」

「大洋自動車の力を利用することには反対だと申してます。出るんなら地元で出たらどうかと……」

「そんなことは気にする必要はないよ。きみは弁が立つし、考えかたもしっかりしてるし、大いにやったらいい。塩野君には会ったのかい」

「いいえ」

「早いところ会っておいたほうがいいな。それも僕から話しておこう」

「よろしくお願いします」

高望は、横川に対する年始の挨拶を欠かしたことはなかったが、お歳暮を年始に持ち越してよかったと思った。

二月に、川瀬と塩野に会うことができたのは、横川の計らいによる。

二月十日付で、征一から高望に手紙が舞い込んだ。カナ文字タイプで横組みのひどく読みにくい手紙である。

独善的としかいいようがない、と高望は思った。

要約すれば、次のようなことがしたためられてある。

一、われわれは出入り業者であり、スクラップ屋であることを考えると、長年お世話になっている親会社に対して、親会社の力を利用して選挙に出るようなことはしないほうがよい。社民党から出ることにも問題がある。

二、自分が自分の力で大洋自動車に関係のない世界で選挙に出ることは全く誰にも遠慮する必要のないことであり、自分自身の判断、行動に責任を持つならば誰も非難する必要はない。

三、大洋自動車のため、高原家のためという前提で選挙に出ることは、あとで思惑違いを起こす恐れがあるので、選挙に出る以上はあくまで自分の野心、自分の興味のためゆえに選挙に出たいということをはっきり自覚しておくべきである。

四、選挙に出るに当たって、資金的な余裕があるとの錯覚を周囲の人に与えないよう配慮すべきである。

読みすすむにつれて、高望は征一の執拗さに胸がむかむかした。ファイトを掻き立てられたというべきかもしれない。

しかし、高望は川瀬に会ったことを電話で征一に報告しておいた。川瀬から、「征一君は、きみが選挙に出ることを承知しているのかね」と質問され、「はい。話してあります」と答えたからだ。

征一は、事前に連絡しなかったことをひどく詰《なじ》った。

「征太郎だったら、俺に断りなしになんだって激怒したろうな。俺は大人だからそうは言わんが、川瀬社長に会う前に、俺に話しておいたほうがベターだったな」

「横川重役の紹介で急に決まったものですから……」

「しかし、俺もおまえの身勝手なやりかたを許すほど寛大ではないぞ。川瀬社長はなんと言ってた?」

「このことを兄貴は知ってるのか、と訊かれたので、話してあると答えましたよ。事実あなたには、僕の意思を話してあるわけですが、その点お含みおき願いたいですね」

「多分、俺に川瀬社長から質問があるだろうが、そのときは、二月十日付でおまえに宛てた手紙のとおり話すからな。俺は大洋自動車の力を借りたり、利用したりするやりかたには断じて反対だ。川瀬社長向けに別のことを言うつもりはない」

「どうぞご勝手に」

高望は乱暴に電話を切った。

征一は二日後に例によってカナ文字タイプの手紙を送りつけてきた。

クリカエシモウシテオキタイ。ジゼンニワタクシニモウシテオイタホウガベターデアッタ。マタトウゼンソウスベキデアッタ（中略）アナタガモノゴトヲシンコウスルバアイ、ソレガチチノジダイノシリアイデナイヒトタチ、マタハコンニチアナタイガイワレワレニカンケイナイヒトタチトノアイダデハコバレルコトニツイテハ、アナタカラナンラジゼンノレンラク、セツメイガナクシンコウサレタトシテモ、ユキチガイハオキナイデショウガ、モシチチノジダイノシリアイノカタタチ、マタハワレワレニカンケイスルヒトタチニカンレンスルコトガラニツイテハ、ジゼンニ、ワタクシニレンラクヲシテオイタウエデ、モノゴトヲシンコウスルノガスジデアリマショウ。

コノスジヲマモラナイデシゴトヲスルトイタズラニコンラントゴカイガハッセイシ、ソレユエニ、アナタノキボウシテイルコトガウマクハコバナイコトトナリ、セイコウシナイデショウ。

コンカイノハコビカタハ、マズイヤリカタトワタクシハカンジテイマス。

（中略）

ワタクシニ、カワセシャチョウ、ナイシハブカノカタカラゴシツモンガアルカモシレナイ。ソノトキハワタクシハ、ワタクシノイケンヲスデニアナタニテガミデオコタエシテイルヨウニ、ウソヲモウシアゲルワケニハユカナイ。

スナワチアナタニタイシテモモチロン、ドナタニタイシテモ、オナジオハナシヲスベキデアルトカンガエテイルシ、アトニナッテ、ハナシノナイヨウヤ、ニュアンスガクイチガッテクルヨウナハナシハデキナイトオモウ。（中略）モシ、アナタガ、サラニ、ワタクシニヨウガアルトイウナラバ、ゴレンラクヲイタダキタイ。シカシ、ワタクシハイマタイヘンイソガシイタチバニアルコトヲ、アナタモゴゾンジデショウ。ソノワタクシガ、アナタノゴシツモンニタイスルゴヘンジヲ、タイヘンジカンヲカケテ、テガミデオコタエシテイルコトヲ、ヨクリカイサレ、アナタモ、ジシンデ、モンジデ、レターデ、メイカクニアナタジシンノイシト、イケンヲワタクシニツタエラレルヨウニ、ネガイタイ。（以下略）

長文の電報を読まされてるようで、いらいらしてくるが、高望は投げ出さずに辛抱づよく最後まで読んだ。

たとえ、事前に話したとしても、征一の態度が変るとは思えない。それどころかヘタをすれば、川瀬社長との面会をぶちこわしにかかりかねない。

カナ文字タイプの手紙といい、モノマニア的な感じさえしてくる。厭みな兄を持ったことの不運を嘆いても始まらないが、高望の不快感は募る一方だった。

昭和四十九年七月七日の第十回参議院議員通常選挙に高望は神奈川地方区から社民党公認で立候補したが、あえなく落選した。惨敗だった。

三十五万票を集めたが、トップ当選者との差は百万票近くひらいていたのである。

「パパ、ご苦労さまでした。いまのあなたに慰めの言葉はありませんけれど、正直に言わせていただきますと、ホッとした思いのほうが勝ってます。ごめんなさい」

正子は、素直に気持ちを表白したつもりだった。

「自分の力の無さを痛感したよ。ひとりいい気になっていたかもしれない」

「そんなことはありませんわ。三十五万人ものかたたちがあなたに投票してくださったんですから、もって瞑すべしです」

「…………」

「政治志向はあきらめてくださいますか」

「仕方がないだろうな」

八日の深夜、高望は正子とそんな話をしたが、がっくりきている高望を奮い立たせたのは伊勢だった。

「たった一度の敗戦であきらめるなんて冗談じゃありませんよ。目標は衆議員です。今度の参議院選挙は、いわば前哨戦みたいなもんです」

「そんなのは負け惜しみです。いさぎよく兜を脱ごうじゃないですか」

「社長、ここは踏ん張りどころですよ。よく考えてください」

伊勢は、声を励まして言い募った。

「三十五万票の中身を分析してみますと、横浜の南部だけで、九万六千票、つまり約十万票も集めてるんです。郡部では、残念ながら高原高望の知名度は低く、浸透してませんが横浜市内の南部だけで十万票近くも集めた事実を冷静に考えてください。神奈川四区でトップ当選してる野党の代議士は十三万票そこそこじゃないですか。定員四人ですが、十一万票取れば当選です。あと一万四千票上積みすれば勝てるんですよ」

「きみの熱意はうれしいが、九万六千票がそのまま衆議員選挙で取れるわけじゃないからねえ」

「絶対に取れます。参議院は、社民党から立候補する限り、いくら頑張っても勝てないと思います。定数の是正でもなければ無理なんです。そんなことは最初からわかってました」

「ひどい男だなあ。負けるとわかってて、僕を担いだんですか」

高望は恨みがましく言った。

「ですから申しあげてるように、今度の選挙は前哨戦なんです。まさか、そうは言えませんから黙ってたんですが、三十五万票を分析して衆議院選挙なら絶対に勝てると、わたしは確信しました。あと一回だけ、わたしの言うことを聞いてください。万々一落選するようなことがあったら、わたしは腹を切ります。ここで旗を巻いてしまったら、高原高望の男がすたりますよ。大宝会の人たちに顔向けできないじゃないですか」

「…………」

「征一さんは、ざまあみろとせせらわらってるでしょう。そんなことでいいんですか」

高望は、どきっとした。暗い眼をした征一の顔が見えるような気がした。

征一とのやりとりは逐一伊勢に話してあった。

「社民県連、区連の根まわしはわたしにやらせてください。たった一回の選挙ですごすご引き下がるなんて、ゆるせませんよ」

伊勢は、ここを先途とまくしたてた。

「わかりました。あなたに賭けてみます」

こんどは、高望の決断は早かった。

5

昭和五十年十月二十六日の社民党県連大会で次期選挙の衆議員候補者が決定し、高原高望は神奈川四区から出馬することに決まった。

十一月十日から啓発社製作所総務部付の林聡が、高望の秘書を兼ねて専属運転手として登用されることになった。

戸塚朝日町の雑居ビルの二階に事務所を設け、高望は選挙活動に入った。

高望もそうだが、伊勢も林も土曜、日曜はすべて返上した。

土曜、日・祭日は、いわば書き入れどきである。

第三十四回衆議院議員総選挙は五十一年十一月十五日公示、十二月五日投票日となったが、その一年以上も前から事実上の選挙戦に入っていたことになる。

たとえば五十年十一月十六日の日曜日は、朝七時から夕方六時まで、高望は大手造船会社のドックおよび社宅、大洋自動車上大岡《かみおおおか》社宅、同港南社宅、社民党県会議員宅、部品メーカー社員寮などを飛び回っている。十二月二十一日の日曜日は午前十時に大手化学会社の三ツ境《みつきょう》社宅を訪問し、餅つき大会に参加、その足で関内《かんない》駅と鶴ケ峰《つるがみね》駅の歳末助け合い募金に顔を出し、午後四時以降は戸塚の事務所で選対会議を開くといった具合いだ。

年が変った五十一年になると、元旦から年始回りと賀詞交換会に駆けずり回り、五日は朝八時の啓発社製作所の年頭式で挨拶したあと、午前十時、午後一時、同三時と三度も浜松町の自動車労連本部を訪ねているが、これは塩野会長に挨拶するためで、三度目にやっと会えたとみえる。

一月十五日の成人の日は、朝八時から啓発社製作所の成人式に臨んだあと、伊勢を伴って九時から午後二時半まで和泉町の町内会を挨拶に回った。

八月は各地の盆踊り大会にご祝儀を持って小まめに顔を出した。

八月十四日の金曜日は、盆踊り大会だけで、午後六時以降啓発社製作所、谷戸《やと》町内、根下《ねした》町内、中村町内と四ヵ所も回った。

高望も伊勢も、選挙にかまけて社業を怠ってたわけではなかったが、公示後の二十日間は、選挙戦に全力投球しなければならないので、常務の村谷や工場長の茅野にまかせざるを得なかった。

うれしかったのは、妻の正子が街頭に並んで立って、一緒に道行く人々に頭を下げてくれたことだ。

「いつまでも拗ねてるわけにもいきません。だんだん差しせまった気持ちになってきました」

正子はそんなことを言って、選挙カーにも乗ってくれた。

さらに驚いたのは立会演説会に、佳子が一番前列に陣取って高望の演説を聞いてくれたことだ。

個人演説会は何十回開いたかわからない。

しかし、週刊G誌が、選挙戦を予想した特集号を出したとき、神奈川四区で高望は無印だった。当選確実は二重丸ないし丸印、三角は当落線上だが、無印は落選確実と言われてるようなものだ。

正子は、新聞広告でその掲載記事を知ってひそかにG誌を買い求め、家に帰って胸をどきどきさせながらページを開いた。

そのときの衝撃は、とても筆舌には尽くせない。

眼の前が真っ暗になり、四周がぐらぐら揺れ動き、リビングルームの床にへたり込んでしまった。

夜遅く、帰宅した高望の顔を見るのが忍びなかった。


高望は、当落がなかなか決まらなかったが、六日の午後一時過ぎに、当選確実の知らせを啓発社製作所の社長室で聞いた。最下位当選で、社民党でも最後の二十九人目の当選者である。

社員たちが大歓声をあげ、感激の余り泣き出す女子社員も少なくなかった。

高望が選挙事務所に駆けつけると、後援会の人々が続々と詰めかけていた。

テレビニュースで当選を知った正子も、事務所に駆けつけてきた。

大ダルマに目が入り、後援会会長で大日工業社長の江口の音頭で万歳三唱となった。

「バンザーイ！　バンザーイ！　バンザーイ！」

テレビカメラが高望の陽焼けした顔をとらえている。

伊勢は感涙にむせんだ。林も泣いている。

正子も涙が止らなかった。

薦被《こもかぶ》りに木槌が振りおろされ、しぶきが飛び散った。

また拍手が湧き起こった。

「ありがとうございました。苦しい戦いでしたが、皆さまのお陰で、間一髪すべり込みセーフ、なんとか当選することができました。皆さまのご恩は忘れません。一生懸命頑張ります」

高望の表情は誇らかに輝いていた。

高望が週刊G誌をベッドの下から引っ張り出してきて、正子をびっくりさせたのは深夜のことだ。

「これ、ママに見せたくなかったから、隠しといたんだ」

「まあ、わたしも……」

正子は、古新聞と一緒に束ねておいたのだが、そのことを話すと、高望は黙って正子を抱きしめた。

十二月二十四日午前十時に初登院した高望は、衆議院大蔵委員会委員に選任された。

初質問は、昭和五十二年二月十五日午後六時半から開かれた大蔵委員会だった。景気の現状に対する政府の認識、増大する企業倒産と今後の中小企業対策の在りかたについて、五十二年度政府経済見通しなどについて所英男大蔵大臣に質《ただ》したのである。持ち時間は十五分だった。

二十四日午後一時からの本会議では、党を代表して所得税法の一部を改正する法律案、税制特別措置法、国税収納金整理資金に関する法律の一部を改正する法律案などに関し、福山赳夫首相と所蔵相に質問した。

三月二十九日の大蔵委員会は、午後五時から福山首相を迎えて集中審議が行なわれたが、高望は租税負担に対する首相の認識について、不公平税制の是正について、来年度の税制等に関し二十分間にわたって首相に舌鋒鋭く迫った。四月一日午前十時からの大蔵委員会でも、アジア開発銀行への加盟に伴う措置に関する法律の一部を改正する法律案に関し、GNPに対する経済援助割合いの検討について、アジアの開発資金需要について、アジア開銀の増資計画について、高望は政府委員にきめ細かい質問をして勉強家、政策通ぶりを印象づけた。

この日は啓発社製作所の入社式だったが、大蔵委員会と重なり、出席できなかったことを、高望はひどく気にしていた。

高原高望は、社民党若手のホープとして頭角を現わし、特に中小企業対策では党内一の政策通として、人柄のよさとも相俟《あいま》って他党からも一目置かれる存在になっていた。

五十二年十二月二十五日に、衆議院大蔵委員会委員に加えて、法務委員会理事に選任されて、国会における高望の政治活動は一段と熱が入った。

早朝、駅頭に立って、国会報告を兼ねて選挙区内の人々との対話を行なうようになるのも、この頃からだ。

七時から八時までの間、駅前広場で、辻説法よろしく人々に語りかけるのである。世界および日本の政治、経済の流れはどうなっているのか、どこに問題があり、なにが課題なのか、いま国会でどんな議論、討議が行なわれているかなどについて、わかりやすく話したうえで、高原高望はかく考えかく行動しているが、ご意見をお聞かせいただきたい、と訴えるのだ。

通勤時の忙しいさなかだけに、初めのうちは、足を止める人もおらず、その虚しさといったらなかったが、辛抱して続けているうちに、高望の熱意に打たれて、手を振ってくれるファンが増え、五分、十分と話に耳を傾け、中には質問を発する人も出てくるようになった。五十三年一月二十三日は根岸線洋光台《ようこうだい》駅、二十四日は私鉄・京浜急行金沢文庫《かなざわぶんこ》駅、二十六日は同じく井土ケ谷《いどがや》駅、二十七日は根岸線港南台《こうなんだい》駅といった具合いに国鉄、私鉄の各駅に出向き、雨の日も風の日も小雪の舞う寒い朝も、高望は駅頭に立った。前夜、「あすは関内駅へ行きましょう」と、林に伝えるのだが、大雨だからきょうは見合せようということは一度もなかった。

「おはようございます」

「おはよう」

高望の返事の加減で、林は『先生はひどくお疲れのようだ、昨夜遅くまで国会の質問に備えて勉強したに違いない』と察しがつく。

そんなとき、林は助手席を倒して、プレジデントの車内をベッドに変えてしまう。助手席に足を投げ出せるようにするのだが、初めのうち高望は「行儀が悪い」と言って、厭がった。

しかし、「車の中で仮眠をとることは疲労回復につながります」と林にすすめられて、車の中で躰を横たえるようになった。わずか十分か二十分の間に、いびきをかいて寝入ってしまうこともある。

林は、妻に言いつけて枕から膝かけ、毛布までつくらせて用意する念の入れようだった。目的地に到着すると、林はすかさず冷たいタオルを差し出す。

「ありがとう。車の中で寝られる習慣がついて、やっぱり体調が違います。林さんのお陰ですよ」

タオルで顔を拭きながら、高望はそんなことを言った。

高望は、林に対して、二人だけのときはなぜかさんづけにするのだ。人前では林君である。

五十三年二月九日は国会対策委員会が九時二十分から開かれるため、新杉田《しんすぎた》駅で、高望は林を先に新橋駅に向かわせた。

雨天のときは、林が傘をさしかけてくれるが、この日は小雨に濡れながらひとりで駅頭に立った。

林が傘を用意してくれたが、片手が不自由だと、話に力が入らないのだ。

顔馴染みの中年の男がそんな高望を見かねて、傘を傾けてくれた。

その夜は、帰りが遅くなった。

第三京浜から東名につながる用賀《ようが》付近に屋台のラーメン屋が出ているが、夜十時過ぎに高望と林は、屋台に立ち寄った。初めてである。

「おやじさん、ここのラーメンはなかなか美味しいですが、もっともっと美味しくなると思うんです。おつゆがぬるいから、これをもっと熱くするとよろしいんじゃないですか。それからどんぶりをあたためるとよろしいですよ。手間ひまがかかる分は少し値上げしてもいいと思うんです」

高望は、ラーメンをすすりながらおやじに注文をつけたあとで、林に言った。

「どんな食べものでも、美味しそうに食べるのがいちばん幸せなんです。人が見てて、美味しそうに見えなければいけないんです」

「はい。午後から、風が強く吹いたせいでしょうか、このラーメン、少しじゃりじゃりしてませんか」

林が小声で返した。

「ま、いいじゃないですか。たいしたことはないですよ」

高望は、先刻それを承知していながら、口にしなかったのである。

「そうそう、新杉田駅で、僕に傘をさしかけてくれた人がいたんです。林さんに報告するのを忘れてました。中年のサラリーマン風の人でしたが、感激しました。住所と名前を訊いたんですが教えてもらえませんでした。三十分近くも、僕につきあってくれて、会社、遅刻したんじゃないかなあ」

「先生のお話は迫力がありますから、つい聞き惚れてしまったんでしょう」

「いやぁ、雨だったから、僕に同情してくれたんですよ」

用賀のラーメン屋には五、六回立ち寄ったが、およそ愛想の悪いおやじだったけれど、林にはだんだん味つけがよくなっていくように思えた。

ラーメンといえば、東神奈川駅に近いラーメン店へ入ったこともある。

その店は日雇い労務者のたまり場になっていた。

「先生、議員バッジを外したほうがよろしいんじゃないですか」

「そんな必要はないでしょう。それより林さん、よかったら一杯どうですか。たまにはいいじゃないですか。僕が運転を交代します」

「とんでもありません」

「いつも下戸《げこ》の僕につきあってもらってるから……」

「実は、先生の専任運転手になりましてから、禁酒、禁煙したんです。酒も煙草もおやりにならない先生におつきあいさせていただくんですから、それは当然だと思います」

「晩酌もやらないの」

「もちろんです」

「申し訳ありません」

高望は、真実済まなそうに、林に向かって低頭した。

律儀者の林は、全身全霊を高望に捧げるつもりになっていた。高望の人格に魅せられ、高望に傾倒し、親分のためなら水火も辞さず、といった気持ちになっていたのである。

時間の合い間に、理髪店に連れてゆくのも林の役目だった。

「先生、三時半に時間が空きましたので、理髪店の予約をしておきました」

「そう。ありがたいなぁ。ちょっと気になってたんだ」

高望は頭髪に手を遣りながら返す。

ゆきつけの理髪店は、九段のホテル〝グランドパレス〟である。担当の理容師は折原と決まっている。

折原は四十歳前後の中年男である。

いちど、餡《あん》入りの〝木《こ》の葉パン〟を銀座の木村屋で買って、持参したことがあった。

調髪が終ったあとで、高望は言いにくそうに言った。

「さっきのお菓子、おやつに僕が食べたいから持って来たんだけどなぁ」

「すみません。気がつきませんで」

「ついでにお茶を淹れてもらえたら、言うことなしです」

〝木の葉パン〟を食べて、茶を飲んで、ホテルの玄関を出ると、十秒後には、プレジデントが高望の前にあらわれる。ホテルに限らず、国会でも、会社でも、どこでもそうだが、林は、ずっと玄関のほうを注意しながら待機してくれているのだ。

居眠りしてることなど絶対になかった。呼び出しのアナウンスを頼んだことなどただの一度もなかった。

五十四年十月七日の第三十五回衆議院議員総選挙でも、前回ほどではないにしても高望は苦戦を強いられた。

翌日午前十時に大洋自動車労連本部に塩野会長を訪ねて挨拶し、正午に啓発社製作所へ帰社したが、まだ当確のニュースは入らなかった。

高望は、居ても立ってもいられず、林に命じて車を東名高速道路へ走らせた。

「どこでもいいですから、遠くへ走らせてください。どうも厭な予感がするんです」

「先生、そんな縁起でもないこと言わないでください。当選確実ですよ」

カーラジオはもちろんつけっぱなしである。

高望は、助手席を倒して、躰を横たえたが、眠けは襲ってこなかった。

厚木インターチェンジ付近で、「神奈川四区で、高原高望氏の当選が確実になりました」のニュースに接した。十二時を三十分ほど過ぎた頃である。

「先生、おめでとうございます」

「そう。きみも聞きましたか。たしかに僕の名前が出たような気がしたんだけど、聞き違いじゃなかったんですね」

「間違いありません」

「よし、次のインターチェンジで選挙事務所へ戻りましょう」

当選後、午後一時から戸塚の選挙事務所で祝勝会が行なわれることになっていたが、林が飛ばしてくれたお陰で、高望はぎりぎり間に合った。

午後二時に、横浜市内のホテル・ニューグランドで、テレビの取材を受け、いったん啓発社製作所に戻って社員たちの祝福を受けてから、五時に自動車労連本部へ当選御礼の挨拶に出向き、七時に社民党本部へ顔を出し、九時半から関内の〝般若亭〟で、江口、河西、大木、池田、平井、竹間など大宝会を中心とする後援会の面々が祝いの席を持ってくれた。

二期目も四位当選だったが、三期目は高望の人気が保守層にも及び、三位当選で楽勝した。

昭和五十五年六月二十二日の衆参同時選挙である。

高望は、社民党の次代を担うリーダーとして嘱目される存在になっていた。

第六章　合同葬儀

1

故・高原高望の告別式が、社民党神奈川県連と株式会社啓発社製作所の合同葬として、二月十三日午後一時から横浜戸塚の日本製作所健保会館で行われ、故人ゆかりの約四千人が広い会場を埋め尽くした。

読経のあと、葬儀委員長の河崎社民党神奈川県連会長、鈴木同党委員長らが次々に弔辞を読みあげた。

友人代表の川谷元延の弔辞は、参列者の胸に沁み入り、涙を誘った。

高原君来て見て下さい。

この荘重にして盛大なお見送りの儀式を。君の親しかったかたがた、君に希望と期待を託しておられた大勢の知人、友人が列席されておりますよ。

君は慶応大学に入学されてからも、陸軍幼年学校のマントを羽織り、友人たちと三田《みた》の山を闊歩されておりました。また、クラス委員としてよく友人の成績のことで先生に交渉にゆかれてました。

応援指導部に在籍された君は、身体に似合わぬ大声を張りあげて、一生懸命に選手を応援してましたね。

卒業してからも同期会や三田会によく顔を出し、酒も呑まぬのに陽気で愛敬のある君は皆んなの人気の的で、会を楽しく盛り上げてくれました。

一見豪放磊落に見えながら、山本周五郎の江戸人情話に涙を流す思いやりのある温かい心の持ち主でした。

君が選挙に初当選し、わたくしたち友人が君の家にお祝いに伺い、勝利の美酒に酔い、慶応の応援歌を君のあの一種独得のリードで歌おうということになりました。口の悪い先輩から「おい高望、立ってやれ」と言われたとき、奥さんがすかさず踏み台を持ってきて「あなた、どうぞ」と言われました。君が踏み台の上にあがって楽しく音頭をとられた場面が昨日のことのようにわたくしたちの瞼に浮かびます。

そして、君はあとで「僕は正子と結婚して幸せだった」と言われましたね。

わたくしたちは、君を友人に持ったことを誇りに思っております。

「今年はしなければならないことがたくさんあるんだ」と言ってたではありませんか。高望君、何故こんなに急ぐ必要があったのですか。せめてあと十年活躍して欲しかった。高望君はいま、わたくしたちの手の届かない遠い処へ行ってしまいました。高望君、一度だけでよいから還ってきてくれませんか。

そして、君のこれからの抱負を聞かせて欲しいと切実に思います。君の良きパートナーであり、最愛の心優しい奥さんの胸の中に帰ってきてくれたまえ。君がこよなく愛した聡明なる望君、佳子さんの涙の雫に光る瞳の中に帰って来てやりたまえ。ほんのわずかでもけっこうですから、わたくしたち友人の処へも立ち寄っていただけたらと願ってます。

高望君、さようなら。

本葬の夜、草部と林が高原家を訪ねて来た。

「急に家族だけになってしまって、仏さまが寂しがってましたから、おいでいただいてうれしいですわ」

正子はうれしそうに二人を迎えたが、いちばん寂しいのは正子自身だった。

「娘がひどくふさぎ込んでます。パパの死期を早めたのが自分の責任みたいに感じてるらしいんですの」

草部が深刻な顔でうなずいてから、林に訊いた。

「先月十一日の日曜日でしたかねぇ、高原さんがわたしの家に見えたのは」

「はい。一月十一日の午後四時過ぎです。あの日は、午前十時半から宝蔵院《ほうぞういん》で若泉流の初舞いと新年会がありまして、先生はその新年会に出られたあとで午後二時四十分に上郷《かみごう》の森田不二夫さんのお宅を新年のご挨拶で伺いました……」

林は背広の内ポケットから手帳を取り出して、メモを見ながら話している。几帳面な男で、六年前に高望の専任運転手になってから、細大洩らさず逐一テークノートしていた。

「先生は帰りの車の中で、急に草部さんのお宅に伺おうと言い出したんです」

草部は、大洋自動車本社管理部門の部長に昇格していた。三年ほど前に、鎌倉の梶原山《かじわらやま》に新居を構えたが、扇ガ谷の高原邸から車で十分たらずの距離である。

「あの日、高原さんは一時間ほど話し込んでゆかれましたが、非常にお疲れの様子でした。脚がだるくてしようがないので失礼すると言って、座布団を二枚二つに折って坐ってたくらいですから。

そう言えば、佳子さんのことを話してましたよ。娘が口もきいてくれんのだ。どうしたらいいかわからない、草部さん助けてくれよって、寂しそうに言うんです。齢ごろの娘ってそんなもんでしょう、なんてわたしはおざなりに答えたんですが、高原さんは相当気にかけてたみたいですね。

いまにして思うと、ショックを受けてしょげかえってたんですねぇ」

「先生は、たしかにお嬢さまに冷めたくされてることを気に病んでました。佳的《けいてき》は、僕が嫌いなんだろうか――、そんな意味のことを何度か口にされたのを憶えてます」

「そのことなんですの。佳子が悩んでるのは……」

正子は次の言葉が押し出せなくなり、ハンカチで口を押えた。

「なにかあったんですか。初めての選挙のときも佳子さんは反対して、口をきかなかったという話を聞いたことがありますが」

「あの娘《こ》は潔癖というのか、純粋というのか自分に対してもそうですから父親に対しても厳しいところがあるんですの。

パパもまた子供に対して大変厳格です。幼いころから口のききかた、食事のマナー、立居振舞を厳しく躾られてきましたでしょう。そんなパパのだらしないところを見るのが佳子は我慢できなかったようなんです。食事のときにテーブルに肘を突きますし、食事のあとですぐに寝そべったり……。それを注意されるとパパは癇癪を起こすんです。亡くなる前の一ヵ月ほど口をきかなかったかもしれませんが、パパはわたくしには愚痴をこぼさないで、早く嫁にやらなければなどと申してました」

「先生はひどく疲れてらしたんです。車の中でも、まともに坐ってられないくらい……」

「林さんがおっしゃったとおりなんです。

佳子もわたくしも、そのことに気がつかなかったんです。こんなことなら、もっとパパに優しくしておくんだったと、佳子は悔んでます。もっともっと大事にしてあげなければいけなかったのにと……」

正子がおえつの声を洩らした。

「いちばん先生のお側にいたわたしがいけなかったんです。もっと早く気付いて、入院させなければいけなかったんです……」

林がまた手帳を開いた。

「一月二日は、午前十時に宗教団体の神奈川県本部の年賀式に出席されたんですが、先生は出発前に玄関で背筋をすっと伸ばしまして、改まった調子でわたしにおっしゃいました。〝林君、今年は政治に賭けるぞ。予定表以外にもどんどん動くから、そのつもりでついてきてくれ。頼むよ〟って……。

先生の言葉にまどわされてしまったのかもしれません。過密な日程を消化されるだけでも大変ですのに、その上、予定外でも動くからと言われて、先生、えらく張り切ってるし、お元気なんだなあって思ってしまって……」

林は声をつまらせた。

「ちょっと拝見していいですか」

草部が、林の手から手帳を取った。

日程でびっしり埋まり、余白はまったくなかった。

「うーん。これは凄い。分刻みじゃないですか」

草部はうなった。

例えば一月六日をみると、次のようになっていた。
▽八・〇〇　啓発社製作所年頭式▽一〇・〇〇　国会▽一一・四五　社民党本部新年式▽一四・二〇　県薬業八団体賀詞交換会（薬業会館、長野知事、亀岡先生）▽一五・〇〇　山城自動車工業▽一五・二五　磯子　お好み焼、宇田川▽一六・〇〇　県同盟会館▽一七・〇〇　東京車輛労組▽一七・四五　石播労組▽一九・〇〇　保土ケ谷支部新年会。
「お好み焼ってなんですか」

草部が訊いた。

「昼食の時間がなかったものですから、昼食がわりに先生と二人でお好み焼を食べました」

「パパがどんなに忙しかったか、どんなに頑張ったかは、娘にはわかりませんから……」

草部が手帳を閉じて、しんみりした声で正子に返した。

「高原さんは、寂しがり屋なところもありましたからねぇ。とくに佳子さんを可愛がってたでしょう。ご自分の自慢話なんて一度も聞いたことはありませんけれど、佳子さんのことはよく自慢してましたね。

しかし、佳子さんに対する高原さんの愛情も、佳子さんのお父さんに対する愛情も素晴しいと思いますよ。口もきかなかったのは敬愛してやまない父親像をこわしたくないという思いからで、佳子さんらしい愛情の表現なんですよ。

ふつうの人だったら、入院するか、寝込んでしまうんでしょうが、高原さんは働き詰めに働いて、最後の一秒まで人のために尽くそうとしたんです。わたしから佳子さんによく話しましょう。お父さんは素晴しい生きざまだったじゃないですか」

「よろしくお願いします」

「ところで、新しい体制になって、啓発社製作所のほうはどうですか」

草部が話題を変えた。

林の表情が翳った。

「皆んな気落ちして、脱け殻みたいになってます。伊勢さんはショックで、また病気がぶり返し、再入院してしまいました」

「まあ……」

正子は絶句した。

伊勢の再入院は初耳だった。半年ほど前、過労による結核で入院したが、本復《ほんぷく》したので最近退院したと聞いていた。

だからこそ、高望が倒れたとき病院へ駆けつけてくれたのだし、通夜にも密葬にも焼香に来てくれたのだ。

六日に開催された啓発社製作所の取締役会にも伊勢は出席したが、きょうの本葬で見かけなかったのは、入院したためだったのか——。

「伊勢さん、いつ入院されたんですか」

「三日前です。前と同じ大船《おおふな》共済病院です」

林は、正子に返してから、沈痛な面持ちでつづけた。

「取締役を解任されたことについては、なんとも思わない、と言ってました。先生に殉じて初めから辞めるつもりだったそうです。しかし、先を越されたのは悔しかったんじゃないでしょうか。

征一さんと、松野さんのやりかたに憤慨してました。まるで月給泥棒みたいな言われかたをされて……。たしかに伊勢さんはこの数年間、選挙にウェイトをかけてましたけれど、けっこう会社の仕事もしてましたから、そんなひどいことを言われるいわれはないと思います」

正子は、林の話を聞いていて、身内のふるえが止まらなかった。

「茅野重役も、給与が高過ぎると言われて、半分に減額すると村谷社長から通告されたそうです。あの人はどんな些細なことでも自分で決断できる人ではありませんから、征一さんなり松野さんの言いなりなんです。啓発社と啓発社製作所の給与水準に格差があるから、低いほうの啓発社の水準に合わせたいということじゃないんですか」

「そんなことをしたら、やる気をなくしてしまうでしょう。赤字経営ならいざ知らず、ちゃんと利益をあげてるのになぜそんなことをするんだろう」

草部があきれ顔で言った。

「決算期の特別賞与は、確実になくなるでしょうね。ベースアップも厳しくなると思います」

「主人がこんなことになって、社員のかたにつらい思いをさせて、なんとお詫びをしたらよろしいのかしら……」

正子はつぶやくように言ってから、林のほうへ眼を遣った。

「あなたのポストは決まりましたか」

「総務部へ課長待遇で戻るように言われてますが、平社員でけっこうだから、倉庫係にしてくださいと人事部長にお願いしておきました。新体制になって、社内は揺れ動くと思うんです。人間関係もぎくしゃくしてくるでしょう。疑心暗鬼になって、心が貧しくなるくらいなら、倉庫で荷物を相手にしていたほうがまだ気がらくですよ」

林のしんみりしたもの言いに、正子は胸が苦しくなるほど切ない気持ちになった。

「わたしも先生に殉じて会社を辞めるべきなのかもしれません」

「林さん、お願いですから、そんなことおっしゃらないで……」

正子がまたハンカチで口を押えた。

「茅野重役から聞いた話ですが、松野さんが矢継ぎ早《ばや》に改革案を押しつけてくるそうです。

もちろん、征一さんの意を体《たい》してのことなんでしょう。あのかたは、親会社の啓発社の副社長ですから、たしかに偉い人なんでしょうが、わたしなどの眼から見ても社内を肩で風切って歩いてるのがよくわかります。あんなに、激しく変った人もいないんじゃないですか。人間あそこまで変われるものなんでしょうか。先生がお元気な頃は、こそこそしているように見えるほどひかえ目だったんですよ」

「改革案を押しつけてくるって、たとえばどんなことですか」

草部が質問した。

「今後、資材の仕入れ、製品の納入はすべて啓発社を通じて行われるそうです」

「ふーん」

草部が首を左右に振りながら唸り声を発した。

「つまり啓発社をトンネル会社にして、コミッションフィ、口銭を啓発社に落すというわけですね。そうなるとやりかたによっては、利益のほとんどが啓発社に流入して、啓発社製作所は赤字に転落してしまう恐れもありますねぇ」

「そんなひどいことができるんですか」

林の表情が激しくゆがんだ。

2

あくる日、十四日の午後、正子は望《のぞむ》と二人で大船共済病院へ伊勢を見舞った。

伊勢は、本葬に参列できなくて申し訳なかったと言ったが、詫びなければならないのは正子のほうだった。

「わたくしのほうこそ申し訳ございませんでした。せっかくお元気になられましたのに、ご無理させてしまいまして……。林さんから、伊勢さんが会社のことでショックを受けて病気が再発されたとお聞きして、胸を痛めてますのよ」

「社長に先に逝かれてしまったのはショックでしたが、会社を辞めさせられたのはどうってことはないんです。初めから辞めるつもりだったんですから。それより奥さんや望さん、佳子さんのことが心配です」

「……………」

「二十三年も社長として会社のために働いたオーナー経営者が亡くなったら、奥さんが会長になられるとか、ご子息が社長になられるのが世間では普通だと思うんですがねぇ」

「主人は、息子に跡を継がせるつもりはまったくなかったと思います……」

正子は、背後の望をちらっと振り返りながらつづけた。

「息子にもそんな考えはないと思います。まだ学生だからということではなく、初めからそんなことは夢にも考えてません」

望が小さくうなずいた。

伊勢はパジャマの上にガウンを羽織って、窓際のベッドに腰かけている。六人部屋だが、土曜日の午後で外出が認められているせいか、患者は伊勢を含めて二人しかいなかった。

「ましてや、会社のことをなにも知らないわたくしが会長なんて、とんでもありませんわ」

「でも征一氏のやりかたはひど過ぎますよ。奥さんを役員から外して、会社に出入りするななんて、とても血のかよった人間とは思えません」

伊勢は、顔をしかめた。

正子は、二月四日に征一から呼びつけられて、「会社に出入りすることはまかりならん」と通告されたことを林にこぼしたので、林から伊勢に伝わったとみえる。

「もともと主人は、家族の者が会社に出入りすることを厭がってましたし、用もありませんのにわたくしも出かけるつもりはありませんけれど、面と向かって、来ないでくれなんて言われますと、いい気持ちはしませんわ」

「あたりまえですよ。しかも大株主の奥さんに、征一氏がそんなことを言える権利があるんですか」

伊勢の細面の顔に朱が差している。

正子は、これ以上、伊勢を興奮させて躰にさわってもいけないと思い、早々に退散するつもりだったが、伊勢はなおも言いつのった。

「大洋自動車系部品メーカーの中で、同族経営的な会社はたくさんありますが、創業社長が亡くなったら、最低、未亡人なり遺族の人を役員とか監査役に残して、創業社長の功績に報いてます。少なくとも路頭に迷わすような血も涙もないやりかたはしてません。征一氏は、高望社長の生前の功績に対してどのように報いるつもりなんでしょうか」

「これからの生活のことを考えますと、不安になります。村谷さんに相談してみようと思ってますが……」

「あの人は社長とはいっても、征一氏の傀儡《かいらい》で自分で判断することのできない人ですからねえ」

きのうも林がそんなことを言ってたが、征一に直接話すわけにもいかないから、甚だ心もとないけれど、村谷に相談する以外にないと正子は思っていた。

「征一氏は、生前の高望社長と没交渉で、まったく無関係だったみたいな顔をしてますし、事実そういうふうに関係者に話してますけど、けっこう利用してたんですよ」

唐突に、伊勢が話題を変えた。

「利用してたって、どういうことですか」

「ニチベアは多国籍企業ですから、大蔵省や通産省に申請したり陳情することがたくさんあるんですよ。

高望社長は、衆議院の大蔵委員などをやってましたでしょう。勉強家であり政策通として知られてましたから、役所に顔が利くんです。征一氏は、高望社長の名前をちらつかせて、役所にいろんな陳情をやってたんじゃないですか」

初めて聞く話だった。

「高望を連れて来ようかと思ったとか、高望によく話してある、みたいなことを役所で言ってたんじゃないですか」

「どうして、そんなことがおわかりになるのかしら。伊勢さん、どなたからお聞きになりました」

「国会に詰めてた秘書さんたちです。役所から、秘書さんたちに必ず問い合わせてくるそうです。もちろん高望社長の耳に入れてたでしょうね。

高望社長は、兄貴の会社のためになるんなら、まあいいじゃないか、って言ってたそうですよ。世間では、征一、高望兄弟の確執なんて知りませんし、高望社長もあえて知らしめる必要はないと思ってたでしょうしね」

「そうですか。そんなことがあったんですか。わたくしは、主人から、なんにも聞いておりませんが……」

「征一氏は、高望社長が選挙に出たときも、ずいぶんいやがらせを言ったりしたりしたくせに、ちゃっかり弟の代議士先生を利用してたんですよ。口をぬぐってますけどね。その征一氏が、奥さんやお子さんたちに対して、目下とろうとしているやりかたは、残酷としか言いようがありません。ひど過ぎますよ」

「茅野さんたち役員のかたが、給与を半分にされると聞きましたが……」

「わたしも聞いてます。茅野さんの奥さんは、征一氏や高望社長のお母さんと親しいそうですが、そのことを話されたそうですよ。お母さん、たしか隆子さんでしたっけ。征一氏に、茅野さんは高望と共に創業時代から苦労して会社のために尽くしてきたんだから、特別に考えてあげてはどうか、って口添えしたらしいですね。それに対する征一氏の答えは例外は認められない、の一点張りだったということです。あの人は、とにかく徹底してますよ。経営者としては立派なんでしょうけど、人間としてはどうなんですかねぇ」

　正子が腕時計に眼を落した。

「伊勢さん、お疲れになったでしょう。そろそろ失礼させていただきます。主人が育てた会社を、せめて一度は息子に見せたいと思ってましたので、これから行ってまいります」

「それはいいですね。ただ、きょうは半ドンですから、案内してくれる人が……」

　伊勢は小首をかしげた。

「朝、林さんに電話でお願いしておきました」

「そうですか。林君がねぇ。望さん、食堂と独身寮もぜひ見てください。家内がおるとよかったんですが、あれもわたしと一緒に辞めました。会社は残るように言ってきたそうですが、奥さんやわたしに対する会社の仕打ちに家内は憤慨しまして、辞めたんです」

「奥さんにまでご迷惑をかけてしまいましたのねぇ」

「いやあ、つねづね辞めたいと言ってたんですよ」

伊勢は、玄関まで正子と望を見送ってくれた。

正子と望は、その足で戸塚へ向かった。望が車を運転し、助手席に正子がおさまった。

二時の約束を十五分ほど遅刻したが、林は正門の前で二人を待っていた。

「いらっしゃいませ。お待ちしてました。社長もお待ちしてますよ」

「村谷さんが」

「ええ。奥さまがお見えになると話しておいたんです。今後のことなど、いろいろ話されたらいかがですか。なんだかだ言っても社長なんですから」

「ありがとうございます」

正子は、林の気遣いに胸がいっぱいになった。

「奥さまもご一緒に社内をご覧になりますか」

「はい。見せていただきたいわ」

「それでは、社長に会っていただいてからにしましょう」

林は、正子と望を社長室に案内した。

村谷は、硬い顔で二人を迎えた。望は挨拶しただけで村谷から席を外すように言われ、別室で林を相手に待たされることになった。

「本葬では大変お世話になりました。あれほど大勢のかたがたに送っていただいて、主人もよろこんでると思います」

「四千人ですってねぇ。わたしもびっくりしました。誰かが言ってましたが、野党の議員では、記録的な参列者なんだそうですね」

「…………」

「林君からあなたが見えると聞いて、いい機会だと思いまして。厭なことから先に言いますが、社民党から葬儀の費用は出るんですか」

「いいえ。社民党と啓発社製作所の合同葬と申しましても、わたくしどもは、社葬と心得ておりますから」

「逆に高原社長は、葬儀委員長が河崎県連会長であることだし、合同葬とは言っても、社民党県連葬だと考えているようです」

村谷がなにを言いたいのか、正子にはわからなかった。ただ、高原社長が高望のことではなく、征一をさすことぐらいは察しがつく。

「事務的な話で恐縮ですが、社葬ということでしたら、世間的な常識として葬儀の費用は会社で持たなければなりませんが、今回は社民党県連葬ということですから、会社からは出すわけにはまいらんのです。その点お含みおきいただきたいと思いまして」

なるほど、そういうことが言いたかったのか——。正子は呆気にとられて、しばらく言葉が出てこなかった。

村谷もさすがにバツが悪いのか、仏頂面で茶をすすっている。

「それは、村谷さんのお考えでもあるわけでございますか」

村谷は、意表を衝かれて、煎茶が気管支に入ったらしく、むせかえった。

「啓発社製作所と社民党県連の合同葬にしていただくことは、あなたも含めて決めていただいたのではなかったのでしょうか」

「奥さん、ご賢察ください。わたしとしてはなんとかしたかったんですが、親会社の命令に背くわけにはまいらんのです」

「あなたは啓発社製作所の社長ではありませんか。啓発社にお伺いを立てなければいけませんの」

「伺いを立てたわけではなく、けさ、高原社長の意向として、松野副社長から指示してきたんです。社民党神奈川県連に費用を持たせるわけにはいきませんか」

「不可能です。県連にそんなお金はないと思います」

「自動社労連の話では、三千万円ほど香典が集まったから、香典返しを含めて収支トントンでいくんじゃないかということらしいですね」

大きなお世話だと言いたかったが、正子は黙っていた。

労連本部の事務局で、弔問者の記帳名簿、香典などが管理されていた。

誰が問い合わせたのかわからないが、それは事実かもしれない。

「合同葬ではなくて、県連葬だったなどと屁理屈をおっしゃらずに、お葬式の費用は一切高原家でまかなうようにとおっしゃっていただいたほうがすっきりします。いただいたお香典は然るべきところに寄付したかったのですが、そういうことですとそうもまいりませんわね」

「とにかくそういうことです。悪しからず」

村谷がソファから腰を浮かしかけたので、正子は早々に退散した。

林の案内で、望と社内を見学したが、正子は気持ちがふさがって、身が入らず、林の説明もうわの空だった。

3

二月二十六日午後の衆議院本会議で、自由党の加藤太郎代議士が、故議員・高原高望に対する追悼演説を行った。

加藤は、選挙区が高望と同じ神奈川四区である。高望にとって、加藤は政敵でありながら、二人は不思議にウマが合った。

追悼演説の話を受けたとき、正子は躊躇なく「加藤先生にお願いします」と答えたが、加藤は快諾してくれた。

この日、林の案内で、正子、佳子、望の三人は国会へ行き、衆議院本会議場で加藤の追悼演説を傍聴した。

午後一時十二分に、福井衆議院議長が開議を宣したあとで、発言した。

「ご報告いたすことがあります。議員・高原高望君は、去る一月三十日逝去せられました。まことに哀悼痛惜の念にたえません。同君に対する弔詞は、議長において去る二月十三日贈呈いたしました。これを朗読します」

総員が起立した。

傍聴席最前列の正子たち三人は、初めから起立していた。

正子と佳子は黒いスーツ、望は学生服、その背後に黒いネクタイを着けた林が佇立《ちょりつ》している。

「衆議院は、議員正五位勲三等高原高望君の長逝《ちょうせい》を哀悼し、謹んで弔詞をささげます」

福井議長はつづけて発言した。

「この際、弔意を表すため、加藤太郎君から発言を求められております。これを許します。加藤太郎君」

加藤が議長席に一礼して、登壇した。

「ただいま議長からご報告がありましたとおり、本院議員・高原高望先生は、去る一月三十日逝去されました。まことに痛惜の念にたえません……」

加藤は、議場を見回しながらつづけた。

「わたくしは、ここに議員各位のご同意を得て、議員一同を代表し、謹んで哀悼の言葉を申し述べたいと思います」

拍手がわきおこった。それが静まるのを待って、加藤は追悼演説をつづけた。

本通常国会の開会劈頭《へきとう》一月二十六日、鈴本内閣総理大臣の施政方針演説が行われました日には、君は元気に登院され、さらに引き続き行われる予算委員会での総括質問に備え、意欲を燃やしてその準備に取り組んでおられたやさき、一月二十九日、突然不調を訴えられ、慶応病院に入院されました。

しかし、選挙区を同じくする私は、君の日ごろのエネルギッシュな活動ぶりと、かつて応援団のリーダーとして鍛え上げた体力、そして何よりも五十歳という若さを承知いたしておりましたので、すぐにも君が元気を取り戻され、登院されるものと信じて疑いませんでした。

しかるに、君は、私どもの期待もむなしく、翌三十日の未明、忽然として長逝されました。訃報に接した私は、余りのことに茫然自失、しばし言葉もありませんでした。

いま、長年にわたる君との温かい交友の数々を思い起こし、哀惜の念ひとしお深いものを覚えるのでございます。

君は、昭和五年九月二十六日、東京都北区岩淵町《いわぶちちょう》に生まれ、昭和十八年北区赤羽小学校を卒業されるや、陸軍幼年学校に進まれましたが、やがて終戦を迎えられました。君は、都立第九中学校を経て慶応義塾大学文学部に学び、昭和三十年大学を卒業されるや、直ちに株式会社啓発社に入社され、昭和三十三年に同社より分離独立して、今日の株式会社啓発社製作所を設立し、社長に就任されました。

時あたかも、わが国の経済復興がようやく軌道に乗り始め、自動車関連部品の製造を主たる業務とする啓発社製作所も、君の先見の明にたがわず成長の一途をたどりましたが、努力家である君は、今日まで二十三年の長きにわたり日夜分かたぬ奮闘を続け、社業の発展のために尽力されました。その間、君は、中小企業の将来を憂慮して、若手経営者による経営研究会を主宰するなど、この方面にも縦横の活躍を示されたのであります。

君は、企業経営者として、働く者のために何ができるかを常に念頭に置きつつ、よりよき社会と健全な中小企業の発展を追求してこられました。そうした中で、幾多の問題が政治の場でなければ解決できないということを痛感され、やがて昭和五十一年十二月に行われました第三十四回衆議院議員総選挙に神奈川県第四区から立候補され、みごと本院の議席を獲得して政界入りの宿願を果たされたのであります。

本院議員となられた君は、大蔵、予算、商工、議員運営などの各委員会の委員を歴任され、また法務委員会、公職選挙法改正に関する調査特別委員会の理事を務められるなど、国政の審議に、また議院の運営に幅広く活躍されたのでありますが、とりわけ君の本領は中小企業の分野に遺憾なく発揮されました。

日本経済を支えるものは中小企業であるとのかたい信念のもとに、多年にわたる実業界の経験を生かし、中小企業問題を中心に、まじめに働く人たちの味方として国会活動を一貫して続けてこられたのであります。

しばしば君はこの壇上に立ち、社民党を代表して、税、財政、金融問題、中小企業対策など、時の総理に対し鋭い質問を放たれたことは、私どもの記憶に新たなところでございます。

かくて、在職期間は四年余りという短いものであったとは申せ、精励をもって本院議員の職責を果たされた君の功績は、まことに大なるものがあったと申さねばなりません。

君は、昭和四十八年社民党に入党し、神奈川県連副会長、神奈川四区連会長などの要職につかれ、地方の指導者として敏腕をふるわれる一方、中央にあっては税制改革特別委員会などの各事務局長を務め、党勢の拡大と政策立案に大きく貢献し、中堅幹部として、その将来を大いに嘱望されていたのであります。

君は、「誠」の一字を座右の銘として、誠実にして真摯《しんし》、うそをつかない政治を信条とし、庶民こそ庶民の苦楽を知るということで、生涯一市井人であることを誇りとする庶民政治家で通されたのであります。

君は、明朗濶達、いつも明るい雰囲気を漂わせた人柄でありましたが、他面、リアリスティックな鋭い洞察力とロマンチストとして培われた豊かな文才をもって、かつては芥川賞にも挑戦されたことがあるという文人であり、また仕事に疲れた体と心をピアノに向かっていやす教養人でもありました。

君と私とは、党こそ違っておりましたが、私は、君の物事にこだわらないおおらかな人柄と、ずばりと言ってのける言動に魅力を感じ、深い敬愛の念を抱いておりました。

ときには中小企業の問題、都市政策のあり方、また、地元横浜の未来像などをともに語り合った間柄であり、国にとっても地元にとっても、君の若さと行動力、豊かな見識と指導力を大いに期待しておったのであります。しかるに、君は、志半ばにして、多くの人々に惜しまれながら、にわかに去っていかれました。もはや、この議場に君の姿を見ることはできません。寂寥の感、胸に迫る思いでございます。

今日、内外の諸情勢を思うとき、君のごとき有為の政治家を失いましたことは、ひとり社民党のみならず、本院にとっても、広く国家にとっても大きな損失であり、惜しみてもなお余りあるものがあります。

ここに、高原高望先生の生前のご功績をたたえ、その人となりをしのび、心からご冥福をお祈り申しまして、追悼の言葉といたします。

第七章　労働貴族

1

正子たち遺族が、衆議院本会議場で加藤太郎の追悼演説を傍聴した二十六日の十日ほど前、ニチベア社長で高望の実兄である高原征一から、正子に〝カナ文字タイプ〟の手紙が郵送されてきた。

要約すると、次のようなことが書いてあった。

一、啓発社製作所は、啓発社所有の会社であり、啓発社同様、大洋自動車の下での仕事を主体としていること等から、わたしがこの会社の方向づけを行う責任があると認識している。

一、啓発社製作所は高望君に一億二千九百万円、あなたに百万円、合計一億三千万円貸付があると承知している。通常、高望君の立場の人が亡くなると会社は弔慰金、退職金を支払うことになるが、大洋自動車の下請会社という立場等を配慮すると社会常識的にも一億円を超えることはない。五千万円から一億円の間が考えられるが、借金のほうが多いので、本人がいかに会社に貢献したとしても借金を棒引きにして、別途退職金を支払うことは非常識であり、規則上からも出来ない。借りたものは借りたものとして故人の遺産から処理されて然るべきである。

一、これらのややこしい問題については塩野会長から、生前からのお世話ついでに問題処理に乗り出してくださるとの有難い申し出があったので、正直なところわたしはほっとしている。

一、わたしは、あなたがたより良い家に住んでいるので、あなたがたのレベルの家を維持してゆくためには、月々の生活費を別にしても、固定資産税、電灯、水道、光熱費、修繕費等々、すなわち維持費だけでも相当な費用がかかることをよく承知している。普通のサラリーマン程度の月額収入に近いものが家の維持費のみでかかっているのではないか。

一、率直に言って、いまの家を維持してゆくのは困難であるから、数年前の原点に戻るべきと考える。所詮いまの家に住んでいること自体がおかしかったのである。国会議員とはいえ、社民党であり、その支持基盤から考えても、このことは言えると思う。

いきなり一億三千万円もの大金を会社に借金している、と言われてもぴんとくるわけはない。

正子は、高望が会社から借金をしていることは知っていた。邸宅の建築資金がその大半だが一億三千万円は過大である。せいぜい六、七千万円のはずだ。

鎌倉・扇ガ谷の邸宅が、維持費などの点で問題のあることは言われなくてもわかっているが、本葬を終えた直後に持ち出さなければいけないことなのだろうか――。

大洋自動車労連の塩野会長が問題処理に乗り出してくれるそうだが、高望が生前、敬遠してた男だけに、なにやら厭な予感がする。

カナ文字タイプの手紙を前にして、正子は途方に暮れる思いだった。

手紙を受け取った二日後、正子は、草部の意見を聞いて、大洋自動車の横川専務を会葬御礼をかねて訪問した。横川は、取締役から常務を経て専務に昇格していた。

大洋自動車東京本社の役員応接室で、二十分ほどの短い時間だったが、横川は面会に応じてくれた。

挨拶のあとで、横川が煙草に火をつけながら言った。

「高原征一君と塩野会長にまかせておけば悪いようにはせんでしょう。啓発社製作所は誰がなんと言おうと、高望君が築いた会社なんだから、遺族に対してそれ相応のことはしなければいけません」

「ありがとうございます。ただ、専務さんは高望の理解者でございますから申しあげるのですが、征一さんから、わたくしは啓発社製作所への出入りを禁じられました。それから二、三日前にお手紙をいただきまして、高望が会社から一億三千万円の借金があるから返済するようにとも言われております。会社に借金があることは存じてましたが、一億三千万円とは腑に落ちない金額です」

「ふーん。一億三千万円とは凄いねぇ。その点は、よく調査しなければいかんが、仮にそれが事実だとしても弔慰金、退職金で相殺できるんじゃないかな」

「征一さんは、五千万円から一億円の間が弔慰金の常識的な線ではないか、とお手紙で書いておられます」

横川は煙草を灰皿に捨てて、緩慢な動作でセンターテーブルの湯呑みを引き寄せた。ことさらにゆっくり緑茶をすすっているのは、考えをまとめているためだろう。

「ま、塩野会長が間に入ってくれるそうだから、わたしが出過ぎてもなんだが、そう心配することはないんじゃないかな」

「わたくしは、征一さんに嫌われておりまして、非常勤の取締役も外されてしまいました」

「そら、ちょっと極端だねぇ。征一君に嫌われているというのは考え過ぎだろうが、遺族のかたがたが生活できるように考えるのが常識というものだし、その点は、わたしから村谷君にも話しておきましょう。取締役はともかく非常勤の監査役という手もあるし……」

「塩野会長をご信頼しておりますけれど、専務さんに間に入っていただくわけにはまいりませんでしょうか。わたくし大変不安でございます」

正子は、高望が塩野を疎《うと》んじていたことが口に出かかったが、その言葉を呑み込んだ。

横川は五秒ほど天井を見上げていたが、また湯呑みに手を伸ばした。

「塩野会長がせっかくその気になってるんだから、わたしが横から口を挟むのはどうですかね。しかし、わたしはあなたの応援団です。塩野会長にも、征一君に対してもウオッチャーとしての役目は果たしますよ。実は今夜、征一君と会うことになってるんだ。よく話しておきますよ」

正子が言いにくそうに返した。

「わたくしが専務さんに泣きごとを言ってるように征一さんにとられてもなんですので、本日わたくしが参りましたことは伏せておいていただけませんでしょうか」

「わかりました。そうしましょう」

「くれぐれもよろしくお願い致します」

正子は立ちあがって深々と頭を下げた。

横川は、正子が引き取ったあとで、自室に戻って、啓発社製作所の村谷社長を電話口に呼び出すように秘書に命じた。

三分ほどで、電話がつながった。

「いま、高望君の奥さんが見えて、いろいろこぼしてたが、会社に一億三千万円の借金があるっていうのはどういうことなんだ。奥さんはそんな高額な借金はないはずだと言ったが」

「申し訳ございません。横川専務にいらぬご心配をおかけしまして」

村谷は、不意を衝かれて、しどろもどろだった。

「事実関係はどうなんだ」

「高望社長の自筆の領収書がございますから事実でございます」

「一億三千万円もかね」

「貸付金の合計は八千五百万円ほどですが、利息の合計が三千七百万円ほどになります」

「利息が三千七百万円……」

「はい。年率一〇パーセントで計算しました。そのほか仮払い金が八百万円ほどございます」

「一〇パーセントの利息ねぇ。無償ということはあり得ないにしても、一〇パーセントは高過ぎないか」

「征一社長の指示でもございますが、この点は故高望社長ご自身納得していた利率と聞いております」

「それにしても、本葬が済んで間もないっていうのに、あんまり事務的過ぎないかね」

「ええ、まあ……」

村谷は言葉をにごした。まったく同感だが、征一の手前そうは言えなかった。

「いったい征一君と高望君の関係はどうなってたんだね」

横川は苛々した声で訊いた。

「申しにくいことですが、ここ数年まったく没交渉だったと思います。お父さんの征太郎さんの遺産相続問題がこじれて係争になったと聞いております。たしか家裁の調停を受けたんじゃなかったでしょうか」

「ふーん。そんなことになってたのかね。言われてみれば、高望君から選挙では兄貴から一銭の援助も受けていないという話を聞いたような気がするが、それにしてもねぇ。征一君は、密葬にも本葬にも顔を出してたし、そんな感じはしなかったが、あれは世間体をつくろう演技ということになるのかね」

「…………」

「そうなると、江戸の敵を長崎で討つでもないが、未亡人がいじめられることになるのかねぇ。征一という人は執念深い男らしいからなあ。きみは高望君から大変世話になったんだから、遺族の味方になってあげないとねぇ。未亡人をせめて監査役につけるぐらいは考えてあげたらどうかな」

「わたしの立場では、ちょっと……」

「そうか。きみはその程度のことも言えんのかね。わたしから征一君に話しておこう」

横川は言いざま電話を切った。

2

その夜、横川は、赤坂の料亭で征一と会食した。

征一は酒をやらないから、白けてしまうが無理強いするわけにもいかず、横川はきれいどころを相手にひとりで日本酒を飲んだ。

「亭主に先立たれた未亡人をいじめちゃいかんね。まだ四十九日も終らんのに、借金の催促はされるわ、取締役を追われるわじゃ、たまらんじゃないですか。女子供をいじめるなんて、大経営者のすることじゃないでしょう」

横川は酒が入るとブレーキが利かなくなるほうだから、ずけずけした口調で浴びせかけた。

征一は、頬をひきつらせながら、甲高い声で言い返した。

「横川専務ともあろうかたから、このような話を聞くとは心外です。正子にお会いになりましたか」

「会ったよ。きょう会葬の挨拶に見えたが、きみのやりかたをこぼしてたぞ」

「あの女はどこまで性悪にできてるんですかねぇ。横川専務に泣きつけば、済むと思ってるんでしょうか。高望が五十歳になったばかりで早死にしたのは女房が悪いからです。あの女のお陰で死期を早めたようなものです。見栄っ張りで、高望がわたしに張り合って、選挙なんかに出て……。それほど力の無い高望を異常なまでに励まして無理をさせたんです。困った女ですよ」

征一は、ぬるくなった煎茶をがぶりと飲んで、話をつづけた。

「わたしは、あんな女を相手にするほどひま人ではありませんが、会社を私物化していた高望の悪いところを見逃してはいかんと思ってます。きちっとするところはきちっとしませんと組織が保てません」

「高望君は啓発社製作所を立派に経営してたじゃないですか」

「とんでもない。選挙に出るようになってからは無茶苦茶で、まるで会社のことなんか考えてませんよ。村谷以下がよく頑張ったから、なんとか持ちこたえたんです」

「村谷にそんな器量はないな。大洋自動車でやっと課長になれた男だよ。やっぱり高望君がえらかったんだろう。従業員に対する待遇なんか立派なものじゃないの」

征一は、茶を飲み乾して音をたてて湯呑みをテーブルに戻した。

芸者や仲居がどぎまぎするほど征一は顔色を変えていた。

それを承知で、横川はほこさきをゆるめなかった。

「とにかく、借金の催促をするにしてもタイミングというものがあるだろう。弔慰金は思い切ってはずんでもらいたいな。少なくとも借金と相殺するぐらいの弔慰金は出すべきじゃないかねぇ。それと村谷にも言っておいたが、未亡人を非常勤の監査役ぐらいには遇してあげたらどうかな。高望君はオーナー経営者というか創業社長なんだから……」

「オーナー社長でも創業社長でもありません。父の征太郎がつくった会社で、基盤をつくったのは征太郎です」

「それを大きく育てたのが高望君だろう」

征一は冷笑を浮かべた。

「資本金五千万円、従業員二百人ばかりで大きく育てたことになるんですか。せめてニチベアぐらいの規模にしてもらいたかったですねぇ」

横川が不味そうに酒を飲んで、酌を催促するように猪口を芸者に突きつけた。

「たしかにニチベアは多国籍企業だし、ご立派だ。それに大洋自動車の下請部品工場でもないしね……」

横川の口調が皮肉っぽくなっている。ニチベアは、大洋自動車と取引関係はない。だからこそ征一は、横川と対等に口が利けるのだが、啓発社と啓発社製作所は下請工場である。

「わたしは、啓発社製作所の高原高望君とは永年信頼関係を保ち続けてきた。そのわたしが、こうしてお願いしてることを肝に銘じてもらいたいねぇ。それと、あんまり感情的にならんでほしい」

「ですから、塩野会長に交通整理をお願いしたわけです」

征一がむすっとした顔で返した。

塩野の名前を出されたせいか、横川が複雑な顔をして、盃を乾した。

高原征一は、横川と会った三日後の夜、大洋自動車労連会長の塩野三郎と柳橋《やなぎばし》の料亭で会食した。

征一が、秘書に塩野のアポイントメントを取らせたところ、その夜の八時から十時までならなんとか都合をつけられる、という返事だった。

征一は、当夜は先約があったが、それを繰り合わせて、塩野との会食を優先した。少しくいまいましい気もするが、国際的なユニオニストの塩野に時間をあけさせるには、こっちが譲歩しなければ仕方がないと思ったのである。

塩野は三十分ほど遅刻して料亭にあらわれた。

塩野が大洋自動車の石川社長を五時間待たせたことがあると、征一は誰かに聞いた記憶があった。話半分としても二時間半だ。並の神経とは思えないが、石川と塩野は、役員の人事問題やら系列部品メーカーの労連脱退をめぐる意見の対立などから感情的に反発し合っていたので、両者とも意地になっていたのだろうか――。

石川は、昭和五十二年七月に川瀬の後を襲って社長に就任、川瀬は会長に退《の》いたとはいえ代表権を持ち、大洋自動車中興の祖として隠然たる勢力を保持し続けていた。

塩野は、クイーン自動車の吸収合併に伴う労組一体化の功績で、川瀬に貸しをつくったかたちで力をつけ、役員、幹部社員の人事にまで容喙《ようかい》するまでになっていた。

ところが、石川は人事権という経営権の根幹にかかわる問題に、労組のリーダーが介入することは経営権の侵害だと考えて、塩野と一線を画してきた。

川瀬社長時代に確立された、労使蜜月時代の終焉《しゅうえん》である。

もっとも、川瀬が代表取締役会長として、睨みをきかせているし、二十三万人の労連組合員をバックにした労組リーダーの存在は、無視できない。

大洋自動車には天皇が三人いる、と産業界で陰口をたたかれるゆえんでもあるが、労使関係がぎくしゃくしているために、追いつき追い越していなければならないはずのセントラル自動車に、シェア面で逆に水をあけられるていたらくだった。

八時半過ぎに、塩野が一杯機嫌であらわれた。

「お呼びだてして申し訳ありません」

「ほかならぬ高原さんだから、大事な宴席を中座してきたんですよ」

塩野は上座にどかっと腰をおろし、蒸しタオルで顔を拭きながらつづけた。

「自動車総連の会長やら、ＩＬＯ（国際労働機関）の理事なんかやらされてると、私的な時間がもてなくてねぇ」

征一はふんといった顔をしたが、タオルを使っている塩野は気づいていない。

塩野が夜の銀座、赤坂を徘徊していることはつとに知られているし、シーズンにはヨット遊びに熱中するとも聞いていた。女出入りの噂も絶えない。

自動車総連とは、セントラル自動車、大洋自動車など自動車産業全体を網羅した労働組合の連合体のことだ。

塩野はタオルをテーブルに投げ出して、わずかに眉をひそめた。

「UAW（全米自動車労組）の幹部が来日してたり、いろいろありましてねぇ、高望君の奥さんにまだ会ってないんだが、なんとか時間をつくって早急に会うようにしますよ」

「よろしくお願いします。ところで会長はなにをめしあがりますか」

「ここの女将はよく知ってますよ」

塩野は右眼をすがめて、にやついた。

征一は、塩野がもっぱらブランデーのほうじ茶割りに決めていることを思い出して苦笑した。

「そうでした。会長はブランデーのほうじ茶割りでしたね」

征一は愛想笑いを浮かべて返した。

塩野は、誰に対しても会長と呼ばせている。

一度、石川が「塩野君」とやって、嚙みつかれたことがあった。そのへんは征一も心得ている。

ひととおり料理が並んだが、塩野はほとんど箸をつけなかった。

ブランデーとほうじ茶が運ばれてこないため、塩野は手持ち無沙汰で、仕方なさそうに煎茶を飲んでいる。

征一の客が塩野だとわかっていれば、料亭側はほうじ茶を用意していたはずだが、征一はそれを伝えるのを忘れたのだ。

女将が挨拶に顔を出したとき、塩野はそのことをなじった。

「僕が来ること、知らなかったのかね」

「いいえ。当方の落度でございます。申し訳ございません」

「たしか、この店は三、四回来てるはずだが、まさか僕がブランデーのほうじ茶割りを飲むことを知らなかったわけでもないんだろう」

「もちろん、よく存じております。わたくしが忘れておりました。おゆるし願います。間もなく用意できますので、もう少々お待ちください」

女将は、征一を庇って、料亭側の落度で通してくれた。

「女将、困るなあ。秘書から塩野会長をお招きしてると伝えてあるのに……」

「うけたまわっております。申し訳ございません」

女将は、征一にまで頭を下げた。

ほうじ茶を淹れ、冷凍庫と氷で冷やして、水差しに入れて座敷に運ばれてくるまで二十分ほど要した。

やっとブランデーのほうじ茶割りにありつけて、塩野の機嫌が直った。

「あとは勝手にやるから、もう下がっていいぞ」

征一に言われて、女将と仲居がほっとした面持ちで部屋から出て行った。

「実は三日前に、横川専務にお会いしたんですが、莫迦に正子に同情的なんです。高望が会社から借りてる一億三千万円を弔慰金と相殺しろとか、正子を啓発社製作所の監査役に付けろとか、いろいろ注文を付けられて往生しました」

「なんだって、横川がそんな余計な口出しをするんですか」

「正子が泣きついたらしいんです」

「横川には僕がクギを刺しておきますよ。あの男は、石川に付こうか僕に付こうか、迷ってるらしいが、副社長になれるかどうかは川瀬さん次第なんだから、僕が川瀬さんにひとこと言ったらそれで決まりだからね」

「人事権は石川社長が取ったと聞きましたが、そうでもないんですか」

「誰がそんなことを言ってるの。冗談じゃないですよ」

塩野は顔色を変えた。

ほうじ茶割りをぐっと呷《あお》って、征一を睨みつけている。

「失礼しました。新聞記者からそんな話を聞いたような気がするんですが……」

「いくら石川が横川を副社長にすると言っても、川瀬さんに拒否権を発動されたらおしまいじゃないの。川瀬さんは、僕の盟友ですよ。いまだかつて、僕の言うことをきいてくれなかったことなど一度としてありません。悪いけど、僕は、石川なんて目じゃないと思ってます」

塩野は巻舌でまくしたてた。

川瀬にはさんづけし、石川を呼び捨てしてるところに、塩野の感情が出ていた。

「よくわかりました」

「それで、未亡人に会って、どうすればいいんですか。こないだの話では、相続する遺産を調べてほしいということでしたが……」

「それもお願いしますが、正直なところ高望の遺族に弔慰金とか退職金を支給する気持ちがなくなりました」

「五千万円ぐらいは払ってもいいようなことを言ってませんでしたか」

「初めはそのつもりで、正子に宛てたレターでも、そのことを書いたんですが、そんな必要はないと思ってます。高望は、父の征太郎から相当な遺産を相続してます。早い話が、鎌倉の土地は、征太郎の遺産で購入したんです。鎌倉の屋敷と土地を売って、つましくやれば十年やそこらは食えますよ」

「だからといって弔慰金を出さないというのもなんだねぇ」

「高望は、選挙に出るようになってから、会社のことなんかなにもやっちゃあいないし、会社からカネを持ち出すばっかりで、会社に与えた損害は大変なものです。

家を建てるカネにしても銀行から借りずに、会社から借りてるのも気に入りません。わたしに言わせれば、あいつのやってきたことは、背任行為ですよ。わたしは弔慰金など払う気がなくなりました。いや、ビタ一文払う必要はないと思います」

「………」

「それどころか、元利合計一億三千万円を耳をそろえて返済させたいと思ってます」

「しかし、その原資はあるんですか」

「土地を売ればいいんです。中小企業の社長風情が、あんな大邸宅に住むなんて思いあがりも甚だしいですよ。それに、高望は一億円の生命保険に入ってたらしいんです。その点も、会長から聞き出していただきたいと思ってます。会長に調停に乗り出していただければ、横川専務にしても誰にしても、口出しできないと思うんです」

征一は追従笑いを浮かべた。

塩野がにたっと笑い返した。

「僕に調停機能があるんですかねぇ。調停者というのは、中立的第三者であるべきでしょう」

「恐れ入ります。会長くらい中立的調停者として説得力のある存在はありませんよ。借金を返済させた折には、充分、なにさせていただきます」

塩野はうすら笑いを浮かべながら、手ずからブランデーのほうじ茶割りをこしらえている。

征一は、塩野の反応をたのしむように、薄く笑った。

3

高原征一から、大型茶封筒の速達が高原正子に届いたのは、二月二十日のことだ。

例によって、カナ文字タイプ横組みのレターで、A4判二十二ページにわたる部厚いものだ。

正子は、征一の異常な執念を見る思いだった。


二月×日付で私の当面の考え方をあなたに伝えるべくカナ文で発信しておきました。

二月六日の取締役会の折にも私はあなたに過去のことがあるのでしばらく謙虚な姿勢を取り続けて欲しいことを伝えておきましたが、相も変わらずあなたの身勝手な言動により私はいささか不愉快な感を抱いております。

それらの言動はあなたにとって必要なことなのでしょうが、私にとってはきわめて不愉快この上もないことですから強く反省を求めておきます。あわせてさらに先のカナ文に追加していくつかの事をはっきりと申し上げておくべきと感じましたので書きつらねておくことにします。

今後、あなたが何かご希望、ご意見等があります場合には、周囲の皆様がたを通じて私の所へ伝えてくるのではなくて直接具体的に私に申し出て下さい。

なお、私と比べるとあなたは、今日、大変時間にゆとりがあるはずですから私に対する頼みごとがあるならば手紙で書いてお届け下さい。

私は先にあなたも出席された二月六日の取締役会で村谷社長をご推薦し皆さんに賛同をいただきました。

その折に、村谷社長に社長をお引き受けいただくにあたっては多大な負担をかけないように配慮したい。つまり高望君の個人的な問題の処理、遺族に対する配慮等々、わずらわしい事によりご迷惑をおかけすることのないよう、高望家の問題、個人的な問題については私が対処し、村谷社長には社業中心にお引き受け願うことでお願いしました。

すなわち、村谷社長にお引き受けを頂くにあたっては高原家の中の問題、高望家の今後の問題等々、対策にはわずらわせないことを前もって申し上げて社長をお引き受け頂いた経過があります。

村谷社長は今までも実務的には技術、製造面を通じて啓発社製作所をまとめてこられておりますので、啓発社製作所にとっては最適の社長であると思います。

従ってあなたを含めて我々高原家の者が個人の家の問題を社長に対して持ち出さない事が礼儀として必要なことでありましょう。

今後、村谷社長に対しては社長をお引き受け頂いた信義の上からも、個人的な遺族の収入等々について、それがこぼし話の範囲であっても彼に申し上げる事のないよう改めてあなたにお願い致しておきます。

われわれとしては、村谷社長から要請があった時にのみご支援申し上げる身でゆくべきであり、何事も依頼すべきではないと自戒したい。

あなたは、横川専務を始め何人かのかたに遺族の今後の収入の不安を一度ならず、重ねて述べておられるようですが、少なくとも会社の経営者であった高望君の妻たる者が高望君の死亡直後からがたがたするのはおやめなさい。一度くらいはよろしいが、二度、三度となれば決して良いものではありません。

重ねて私にあなたの意向をお話し下さっている横川専務にしても、度重なると困惑されることになると思います。

私は何回か複数のかたがたからこれらの事を耳にしてますが、率直に言って良い気持ではありません。

仕方がないのでこのレターで私はきわめてはっきりといくつかの事を申し上げておきます。

高望君の突然の死は私を含め周囲の人々にそれが余り突然の事であったために、いろいろご迷惑をかけています。

人々は皆大変気の毒であった、惜しい事をしたと申して下さっています。その言葉を静かにありがたく受けとめて、じっとしているべき時が今であります。今日、明日の生活にあなたが困る訳でないでしょう。

一月までは、あなたがたご夫妻は年間五千万円の収入を得ていたのです。過去数年このレベルの収入があったはずです。二月から突然手元に一銭のお金も無くなってしまった訳ではないでしょう。

塩野会長がご多忙の中を、一連の処理に乗り出して下さると申されて下さいましたので、私もありがたくお願いいたしました。

それは、ただ単にあなたがた遺族の今後の収入だけの問題ではないのです。あなたがたご夫妻が啓発社製作所から得ていた収入も過大でしたが、おそらくそのためと思いますが啓発社製作所の全従業員の給与には大変なアンバランスが目立ちます。と言うよりも目立ち過ぎるのです。一般給与は明らかに低すぎます。そしてこれらの人達は数多いのです。

それだけの理由ではないでしょうが啓発社製作所には、若い人がきわめて少ない。若い人達が居つかないとも聞いています。

平均年齢が三十八歳にも達しています。

非組合員の給与、とりわけ一部の人達のそれは高すぎます。

啓発社、ニチベアはもとより親会社の大洋自動車の非組合員の方と比べても高すぎるでしょう。高いからといって、いったん支払っているものをむげに引き下げるわけにはいきません。しかし、これらの人々にもその事を知っておいてもらう必要はあるでしょう。

これら、一連のことを含めあなたがた遺族の収入問題も塩野会長は、この際乗り出して交通整理をして下さると申されておられるのです。

いま、あなたの立場は次のような姿勢をとるべき時期であると考えます。

故人高望君は皆様にお世話になりました。

とりわけ国会議員にしていただいた事は本人にとっても、家族にとってもこんなにありがたい事はありませんでした。

一方、啓発社製作所の方は国会議員就任中も社長職を務めていましたので、留守がちであったと思います。

幸い、親会社である大洋自動車関係の皆様がたのご高配、ご支援で順調に過ぎて参りましたことを有難く思っております。

しかし、社長として専心経営をしていたわけでもありませんので、今ともなりますと色々なひずみなりご迷惑の点もあるのではないかと心配しております。

何とぞ、今まで長い間、真面目に働いてきて下さった従業員各位の生活が今後も平穏に過ぎていきますよう、皆様にお願い致したいと存じております。

そして、兄の高原征一はこのような工場関係の仕事には非常に慣れたかたですから、恐らく従業員各位の仕事がやりやすいように、意見、支援を与えてくれると思いますので、従業員の皆さんもむしろ、今後啓発社製作所がより良くなっていくだろうと期待して頑張っていただきたい、と表明すべきでありましょう。

それを、今のように過去数年、啓発社製作所から五千万円余の収入を得ていた者が、死亡後直ちに一度ならず遺族の生活、体面の維持等々をまっ先に口に出して、がたがたすべきではありません。

高望君はそれ程力のある男ではないことをわれわれ子供の時から、よく承知しています。彼はあんがい気の小さい男なのです。しかし昔から多少小ずるい点がありましたから、小細工をろうし話を嘘にならないようにすり替える点は一つの才能がありました。

しかし、世の中で段々と立場が出てくるようになると、すり替えているうちにそれが嘘なりインチキとなる事が他人にも目についてきたようであります。

なによりも、高望君およびあなたにとって幸いであったことは私、母、兄弟がいっさいかれの小細工、すり替え、嘘、インチキについて他言しなかったことです。もし他言していたら高望君の生前の地位はなかったでしょう。

いくつかの例を挙げておきますと、高望君は慶応大学応援団長であり名物男であったということにしてありました。それは選挙公報にもあり、葬儀の時の河崎葬儀委員長の弔辞の中にも述べられています。

あの席には私は勿論、慶応出身の人たちがおられました。大洋自動車には慶応の応援指導部に籍をおいておられたかたも社員としておられます。

幸いに高望君の生前に選挙公報を含め、そのストーリーは嘘、いつわりであると公言する人はいませんでした。それは幸いなことに世の中のインテリのレベルの人は嘘とわかっていてもそれを指摘したり、口にしないものだからです。

しかし、嘘は嘘です。

それを自分の売込みに高望君が使っていた行為はインチキということになります。正義感の強い母は最初の選挙公報の時も、このくだりを読んで社民党というのはいいかげんな政党であると憤慨しておりました。

あなたは、高望君と小学校から一緒で、しかも我々の家族の近所に住んでおりましたから高望君の成人の過程、学校時代、学校での生活状況は良く知っておられたことでしょう。

同時に、三つしか年齢の違わない私の状況も良く知っていたはずです。

慶応の応援団長、しかも一世を風靡したと言われるのは、私の事であって高望君ではありません。

ご承知のように、私は二年生の時から団長になりましたので二年間慶応の応援団長を務めました。

おおよそ、戦後の大学、都市対抗のモデルはほとんど私の時につくりあげたものです。

しかし、私が名物男と言われるのは単に応援団長にとどまらず経済学部自治委員長、在校生総代、経済学部卒業生総代であったからであります。私は嘘かけ値なくこのような地位を学生時代に築いておりました。

一方、高望君は私の最上級生の時に応援部に入ってきました。私の卒業後やがて高望式で私党を組み、がたがたして二年か三年の時に応援部から追い出されました。追い出した方が悪いのか追い出された方が悪いのか良く知りませんが、とにかく追い出されたのです。

その後、学校に行きにくくなり余り学校に行かず、そのために卒業時に卒業できず、したがって就職ができずそのために家に残っていたのです。

父は、私にも高望君にも卒業時に家に残るよう頼んだことはありません。

従って父は、その後も高望君にまったく啓発社の仕事にタッチさせませんでした。当時、たまたま父の所によその人が出資支援を依頼してきた田端にあったプレス工場に、父が金を出してやると共に高望君の働き場所としたのです。

葬儀の折の弔辞に啓発社製作所を高望君がおこしたという表現が何人かの人から出されていましたが、まあ弔辞ですからその程度はよしとしていいでしょう。何故なら父の死亡後は文字通り経営していたことは間違いないことですから。

しかし、実際は田端時代から戸塚に移ってからのしばらくの間も、父が啓発社も啓発社製作所も直接みていたのです。

すなわち、経理、銀行関係、小切手のサインに至るまででした。

田端当時、すでにあなたがたは結婚をしていましたから、母にしてみればやかましい父、お金にはガッチリしていた父のもとであなたに何回かお金の援助もしたと聞いています。

したがって母にしてみればその後のあなたがたの身勝手なフットワークに怒りがはなはだしいのは当然でしょう。

高望君というのは当時すでに啓発社製作所のスタッフを私党化していましたから、その上で父に対抗するとなると父としては大洋自動車への配慮等から、ある範囲を越えられない立場があったのです。

ちょうど、私と松野が行きたくない今回の葬儀に出席したようなものです。

父の生前、よく話に出ていたのは大洋の関係の方のお祝い事、ご不幸の折に、父が家を出ようとすると、日頃はげしく口論している高望君がひょっこりやってきて、父の出発とタイミングを合せてしまうことがしばしばで、やり場のない不満を述べていました。

つまり、大洋関係のかたがたがこれらの集まりに参集しておられる時に、父と一体であるという事を演出しようとしていることは、皆承知しておりましたが、父も仕方なくそれに合せていたようです。

父が二十四日間病院に入院して亡くなった時にも高望君が病室に入って来る事を強く拒みましたし、亡くなる直前、体力が無くなっている時にも、それを一生懸命意思表示しておりました。

高望君は、あの時も父の入院したことを大洋のかた、とりわけ横川専務にご連絡する事にのみ執心していました。そのためにその後も父の様子をつかもうとしていましたが、母も兄弟も誰も高望君には話をしませんでした。だから父が亡くなった時に、親、兄弟でその席にいなかったのは高望君だけでした。

また、父は病院に入院した直後、全文を自筆で啓発社製作所の会長の辞任届けを書いて高望君に送りました。

それ以前、三年程は毎月送られてきた会長手当を手にしませんでした。母は当時、啓発社製作所から送られて来た月々の手当を封筒のままいまだに保管して持っています。それは大変な量であり金額です。

このように、その当時高望君と父との関係は異常なものでした。しかしその事が大洋のかたがたを含め外部に知られずにすんだのは、高望君とあなたのすり替えのテクニックと母および我々兄弟のインテリジェンスであったというべきでしょう。

私は父に、不愉快な仕事をする必要はない。啓発社製作所程度のわずかの仕事をいつまでも自分の仕事として支配していないで高望君にくれてやる形で解決したらどうかとすすめてきました。しかし高望君は金を出すなら嫌だと、再三述べていました。まことに話にならないことであると思いました。

次には、相続時に調停員の前で私ははっきりと高望君にお金を欲しがるよりも啓発社製作所の株式をこの際取得しておくべきであると述べましたが、彼はまた、只で貰う理由があると述べて調停員のひんしゅくを買っていました。結局、彼はこの時も啓発社製作所の株式を取得しませんでした。

私は、その時はっきりとやがて自分も家族も困る時がくるぞと強く高望君に話しておきました。

高望君は、幼年学校に在籍していた事を得意になって述べていましたし、弔辞の中にもそれがありました。

しかし、私に言わせると母の努力のおかげで入学できたのであります。当時、鉄くず屋のせがれは幼年学校に採用してくれません。勉強のできるできないではなくて身分、格式が要求される時代でした。母が一年、二年という時間をかけて、そのスジの軍人の有力者に働きかけてその壁を越えたことは、あなたは知らないでしょう。

だから、幼年学校を出たということは母やわれわれ兄弟の前では言わないほうがよろしい。あなたは日本の陸軍にはそのような事はあるはずがないと思われるかも知れませんが事実です。

さて、横川専務もご心配下さっているあなた方の今後の収入や当面の問題は、次のようにお考え下さい。

一、塩野会長がそれらを含めてお考え下さることになっています。塩野会長にせっつくことは失礼です。しばらく静かに謙虚にお待ち下さい。

二、あなたがたが今の家にいて、しかも我々高原家の者から生活費を月々得ながら生活設計をしようとするならば、塩野会長がなんと言われても私は同意しません。横川専務からお話があっても私は同意できないでしょう。

その理由　母、松野（妹）などよりも上のレベルの生活を高原家の援助を得ながら維持しようとすることは駄目です。母も含め我々はあなたをご援助する義理はゆきがかりから言えば、原則としてありませんし、母の表現を借りて言えば、第一いまさら、おかしいのではないかということです。

さらにもう一つの理由　父の遺産相続の折ゴタゴタし家庭裁判所のお世話になりました。その折、高望君は実業人としても兄弟としても無頼の行動をもって自分の持ち分であった啓発社の株式を私に売りつけました。そして私が支払ったそのお金があなたがたの家の資金の重要な部分となったのです。人にこのような負担と迷惑をかけながら今になるとその家に住みながら、かつ月々のものを我々から得ようとする姿勢は相変らずすり替えとインチキと嘘の継続であり許せないことです。

父が残した同族会社の株券は二種類ありました。一つは啓発社のものであり、もう一つは啓発社製作所の株券でした。私は高望君に、強引に啓発社の株券を売りつけて現金を私から得るよりも、啓発社製作所の株券をこの際プラスして保有すべきであると申し上げました。

ところが調停員の話によると、啓発社製作所は自分が築いた会社であるから、啓発社製作所の株式は只でくれと主張し、調停員のひんしゅくを買いました。その時、彼はすでに国会議員でした。

結局、只でなければいらないということになり、啓発社製作所の株券は他の相続人である親子、兄弟と共に分けてそれぞれが所有することにしました。

私は、この時一億円を同族株引き取りのために支払いました。おかげで私は父の遺産からは一銭の現金も得ることはありませんでした。私は同族会社の株式は啓発社および啓発社製作所とも余分に持つ必要はありませんでした。なぜなら啓発社の株式を父の生前すでに過半数所有していたからであります。その時私が高望君に述べたように、やがて高望君自身および家族が困る時がくると申し上げていたことが、今現実となりました。

もう一つ申し上げておきたいことは、父の遺産の中の現金の半分は、もともと私が父の生前に支払って渡したものです。父が稼いだものではありません。

父が生前所有していたニチベアの株券を私がお金を払って買い取りました。父の遺産の中に現金が多かったのはそのためです。

父の遺産も得た、私に売りつけた株券からも現金を得た、それがあなた方の家の資金の大部分となりました。

自分で保有すべき株式を兄に売りつけた。自分の経営していた会社の株も持とうとしない。

それらの金があなたの今住んでいる家の資金の大部分となっています。今、その家をそのままにしておいて、かつ過去十年にわたりなんの挨拶もない者が私に直接頭を下げることもなく、私から月々なにかを得ようとし、かつ人の同情が集まる時期に、とりわけ大洋関係の恩人、先輩に泣き込む等の行為により私に圧力をかけようとする姿勢。

このように、その時々で人を利用する昔からの高望およびあなたの方式、すなわち、小細工とすり替え、嘘とインチキをここにもみる思いがします。私はこれら最近のインチキの行為は納得できません。母や妹が昔からあなたがたのやりくちに納得しないのもこのところであります。

われわれが、あなたがた遺族をご援助するにしても以下のことを知っておかれるべきであり、この状況を越えてあなたに援助する道理はありません。

高望君の財産内容、生命保険からの入金予想等々、塩野会長には明らかにすべきでしょう。

ちょうど六ヵ月後には相続税を申告しなければならないはずですから、あなたが素直で常識的であるならば、われわれに援助を求める時にもそれらを明らかにして相談してくるべきでありましょう。

最後に、あなたに重ねてお願いしておきますことは、横川専務にとどまらず大洋関係の方々にがたがた自分勝手なご依頼をしますと皆さん同情と共に私にお話がございます。私は私としての立場をご説明しても時間のかかることで、また意をつくせません。またそれをなすことは故人高望君のイメージを損うことになりますので、いまさら申したくはありません。

高望君の生前同様に私たちはすすんで口にはしないでしょう。

しかしながら、今日以後、この種の話が大洋はじめ恩人、先輩のかたから私の耳に入ってくる場合には、そのつどこのレターのコピーをお渡しすることにします。とりあえずは横川専務と塩野会長にはこのレターのコピーをお届けしておきます。それは今になっても高望君の生前の時のように、小細工とすり替えと嘘とインチキが横行されることは、時として私たちにとって迷惑であるからです。とりわけあなたのようにがたがたされるのは私としては大変不愉快で迷惑至極と申し上げておきます。

あなたは、ご自分がいつのまにか、のぼせあがっていることに気がついておられません。高望君の亡くなった今の時期にあなたがたの数年前、十年前、結婚前、あなたのご親族の

人たちの今の状況等々、謙虚にながめ考えられ、あなたご自身はその基盤の上にたってお
られることをよく自覚して下さい。

一日も早く、自らのありかたを常識的なレベルに引き戻すよう、強く要請します。

カナ文字タイプの手紙をつっかえつっかえ読みながら、正子はなんど眼をこすり、唇を噛んだかわからない。悔しさと憤りで吐き気を覚えたほどだった。くだくだと繰り返しが多く、女の腐ったような趣味の悪い手紙だ。

村谷に相談しようと思ったことはあるが、こぼしたことなど一度としてない。言いがかりとしか言いようがないではないか。

征一に直接話したり訴えたりしても話にならないことは、二月四日に会ってよくわかった。したがって今後も直訴するつもりはないが、横川に相談したことを根に持ってこんな異常な手紙を郵送してくる征一を、正子は嫌悪した。

従業員の給与が低過ぎるという指摘も間違っている。大洋自動車傘下の部品メーカーの中で上位にランクされていることは、同業他社を調べればわかるはずだ。

〝嘘と小細工とインチキとすり替えの人生〟を送ってきた男の死に、あれほど多くの人々が涙を流してくれるわけがなかった。やんちゃなところはあったが、高望は真面目にひたむきに人生を生きてきた。

高望が、莫迦正直と思えるほど自分を飾ったりつくろわないことは、妻の自分がいちばんよく知っている。本音しか言わない男だった。

ただひとつ高望が慶応大学の応援団長でなかった、という指摘は当たっている。

しかし応援指導部に在籍し、リーダーの一人だったことは学友が証言している。選挙関係の後援者がそれを一階級か二階級特進させてしまったのであろう。なぜ訂正しなかったのか、と言われてしまえばそれまでだが、その一事を以ってインチキとかすり替えとか言わなければならないほど、征一は人格高潔な男なのだろうか。慶応大学の応援団長だったことを自慢たらしく吹聴しているのは、征一のほうではないか。

母の隆子が、正子に何回か資金面で援助したとあるが、結婚直後に一度あるだけで、何回もというのは嘘である。選挙でも援助してもらわなかったし、申し出があっても受けることは高望のプライドがゆるさなかったはずだ。

幼年学校のことでも、あたかも不正入学まがいのことを書いているが、何故これほど弟を貶《おとし》めなければならないのだろうか。

〝アナタガ、イゼンカラノクセトダセイデ、ソウドウオコシノゲンキョウニナラナイヨウニセツニ、オネガイシマス〟とは失礼千万ではないか。

いつわたしが騒動起こしをやったというのだろう。具体的に事例をあげて説明できるものならしてもらいたい。

家のことにしても、住み続けたいなどとは一度も言っていない。むしろ生活の縮小上、住み替えなければならないと考えているが、高望の死後三週間しか経っていない段階で出ていくわけにもいかないではないか。

〝タカモチクンノシボウチョクゴカラ、ガタガタスルノハオヤメナサイ〟が聞いてあきれる。本葬も終わらない前から、取締役をはずすの、借金を返せのと、ガタガタしたのは、どなたですか、と聞き返したい。

〝トリアエズハ、ヨコカワセンムトシオノカイチョウニハ、コノレターノコピーヲオトドケシテオキマス〟のくだりに、正子は唖然とした。

正子にこうした手紙を送りつけてくること自体異常なのに、異常の二乗のようなことをやろうというのである。

どうぞご勝手に、と正子はつぶやいていた。征一という独善家は、自分の異常性にはまるで気づいていないと見える。それによって男を下げるのは、高望ではなく征一自身なのだ。

〝アナタハ、ゴジブンガイツノマニカノボセアガッテイルコトニ、キヅイテオラレマセン〟

わたしは、のぼせあがっても思いあがってもいない。社長夫人、代議士夫人になっても〝プレス屋のおかみさん〟で通してきたつもりだ。

のぼせあがっているのは、思いあがっているのは高原征一その人ではないか、と正子は思った。

4

二月下旬のある日の夕方、高原正子に大洋自動車労連本部事務局の若い男から電話がかかった。

塩野三郎会長の秘書らしい。ごく事務的な口調で「塩野会長がお待ちしておりますから、あす午前十一時に労連本部へお出でください」と用件だけ伝えて電話を切った。

あくる日、正子は菓子折りを下げて九時過ぎに家を出た。

黒っぽいスーツの上にコートを着てきたが、鎌倉駅へ着くまでに肌が汗ばむほど暖かい日和で、途中でコートが邪魔になり、脱がなければならなかった。

品川駅で京浜東北線に乗り換えて、二つ目の浜松町駅に着いたのは十時四十分過ぎだった。

改札口を出ると強風にコートを奪われそうになった。

強風は高層ビルによるらしい。気温も鎌倉より五、六度低いように思えた。

正子は、手に持っていたコートを着て、労連会館へ向かってゆっくりと歩いていった。初めてだが、道順を聞くまでもなかった。

約束の十一時より十分以上も早く着いてしまったが、正子はすぐに四階の会議室に通された。

南向きの会議室は陽だまりになっていて、暖かかった。

眼を窓外へ向けると、恩賜公園芝離宮が風景画を見るように一望できる。正子は思わずテーブルを離れて、窓際に駆け寄った。

素晴らしい眺めだ。これ以上の借景はとても望めるものではない。

窓をあけて手を伸ばせば届きそうなほど眼と鼻の先に、芝離宮がひろがっている。緑の濃い季節の美しさはいかばかりであろうか。

正子は飽かずに見蕩《みと》れていた。

ノックの音が聞こえた。

返事をする間もなく塩野が一人で入って来た。

「どうです。きれいでしょう」

塩野はにこやかに言いながら、正子に肩を並べた。

「この会議室が会館で最高の部屋なんです。ですから来客の応対はここでするようにしてるんです。三階のわたしの部屋なんか、ここに比べたらみじめなものですよ。さあ、どうぞあちら側にお坐りください」

塩野は窓側を背にしてテーブルについた。

呆気に取られて、挨拶を忘れていた正子はあわてて廊下側に回った。

「主人が大変お世話になっておりました。このたびはいろいろご配慮をいただきまして、ありがとうございます。つまらないものですが……」

「お気を遣っていただいてかえって恐縮です。ご主人の告別式に参列できなくて大変申し訳なく思ってます。気になっていたんですが、よんどころない用件がございまして失礼させていただきました」

塩野は微笑を絶やさず、ゆったりした口調で話した。

「お力落しでしょう。高原高望さんを失ったことは社民党にとっても大きな打撃です。わたくしもショックですよ。ゆくゆくは社民党の委員長になってもおかしくないかたですからねぇ。労連は高原高望さんの将来にかけてたんです。だからこそ全力で応援してきたんです。ほんとうに惜しいかたを亡くしてしまいました。まさに断腸の思いです」

塩野の表情から微笑が消え、声がくぐもった。

正子の胸に熱いものがこみあげてきた。

優しい言葉をかけられて、塩野に対する不信感がうすれていくような思いにとらわれていた。

高望から「あの男はなにを考えているかわからない。肚のわからんやつだ」と聞かされていたし、高望が塩野の人間性に懐疑的だったことはよくわかっていた。「選挙があるから距離のとりかたが難しい」とも言っていた。不即不離の関係をつくり出すのに高望なりに苦労していたようだが、仮にも大労組のリーダーになるような男だから、人の面倒みがよく親分肌なところがあるに違いない。

「わたくしに調停役というかご遺族の後見人のようなことをやれということですので、誠心誠意やらせていただきます」

塩野は改まった口調でつづけた。

「横川専務からも、ニチベアの高原社長からも頭を下げられて僭越ながら乗り出すことにしたんですが、わたくしも時間に限りがありますので、何度も奥さんにお目にかかるわけにもまいらんと思います。それで、まず実態を把握しなければなりません」

「よく存じております。征一さんから手紙をいただき、高望の財産内容、生命保険からの入金予想などにつきまして塩野会長に明らかにすべきだ、と指示されております。塩野会長にすべてを申しあげるつもりで、いま資料を作成中でございます。ただ、すべてを塩野会長にお任せした以上は申しあげますけれど、征一さんおよび一族のかたがたには高望の体面上、申しあげたくない点もございます。その点、お含みおきいただけますでしょうか」

「もちろん、わたくし限りです。そのかわり細大洩らさず明らかにしてください」

「承知しました。まとまり次第、郵送させていただきます」

「たしか選挙の後援者関係名簿は労連で保管してましたね」

「はい。本葬の記帳名簿も労連本部のかたがお持ち帰りになりました。お香典のお返しをしなければなりませんので、わたくしどものほうへお戻しいただければと存じます」

「ええ」

塩野は短く答えて、話題を変えた。

「会社からの一億三千万円の借金についてはどうお考えですか」

正子がかすかに小首をかしげた。

「つまり返済するおつもりですか」

「はい。お返しすべきものはお返しするのが当然ですけれど、金額の点につきましては納得しかねております。塩野会長にこのようなことを申しあげるのは大変失礼かと存じますが、お調べいただけませんでしょうか」

「そうですね。やってみましょう。高望さんは、あなたを受取人にして、一億円の生保に入っていたそうですが……」

「はい。事実でございます」

「横川専務は、あなたがた遺族のことを非常に心配しておられます。わたくしもニュートラルな立場で調整しなければいけないんですが、判官びいきというか、弱者の味方になりがちです。それに征一氏を好きになれないようなところもあるんですよ」

塩野は意味ありげに正子を見つめた。

5

三月に入って間もなく、塩野は、大洋自動車の本社で横川に会った。

午後一時半に、ぶらっと横川の部屋を訪ねたのである。

横川は、部下の取締役と部長を呼んで打ち合わせ中だったが、塩野は秘書に都合も聞かず、強引に部屋に入って来た。

ノックと同時にドアをあけると、三人が一斉に起立して塩野を迎えた。

「お邪魔ならあとにしましょうか」

「いや、もう終りましたから、さあさあどうぞ」

打ち合わせに入ったばかりだったが横川は、二人に目配せで、退室するように命じた。

「それではのちほど」

「失礼します」

二人は横川と塩野に最敬礼して引き取った。

塩野はソファに腰をおろしながら、悪びれたふうもなく言った。

「突然どうも。二時に川瀬さんに会うんだけど、ちょっと早く着いちゃったので、たまには横川さんの顔を拝ませてもらおうと思いましてねぇ」

「塩野会長に拝謁《はいえつ》していただけるなんて光栄です。お呼びいただければ、こちらから出向きましたのに」

「僕は、専務さんを呼びつけるほど偉くありませんよ」

「なにをおっしゃいますか。ところで川瀬会長とはなんですか」

「川瀬さんは、なにか悩みごととか右せんか左せんか決めかねているときには、必ず僕の意見を聞いてくれるんですよ。大かた、人事の問題で悩みがあるんじゃないですか」

塩野は思い入れたっぷりにつづけた。

「副社長を二人制から四人制にすることを考えてるみたいですねぇ。〝ストーン〟の発意らしいですよ」

塩野は、気をゆるしてる相手には、石川のことを〝ストーン〟と呼ぶ。横川の前で、〝ストーン〟という言いかたをしたのは初めてだが、塩野なりに思い入れを示したつもりだった。

「〝ストーン〟にしては上出来じゃないですか。あの人が社長になってから、大洋自動車の経営は悪化する一方ですが、経営陣を強化しようってことで、けっこうなことですよ。五人の専務の中から、二人副社長に引き上げることになるんでしょうが、僕は序列にこだわる必要はないと思ってるんです」

ノックの音が聞こえ、秘書嬢が紅茶を運んできた。

塩野が紅茶にレモンと砂糖を入れてスプーンでかきまぜながら言った。

「僕が川瀬さんに呼ばれたのは、多分そのことだと思いますよ」

秘書嬢が会釈して退室したのを見届けてから、横川が返した。

「そんな話があるんですか。初耳です」

「そりゃあそうでしょう。僕が川瀬さんから電話で聞いたのはきのうですよ。まだ川瀬さんと〝ストーン〟しか知らないんじゃないかな。だから、ここだけの話ですよ」

「もちろんです」

横川はなにを興奮してるのか、顔を上気させている。

「僕は、川瀬さんに、あなたを推すつもりです」

塩野は上眼使いに横川をとらえながら、ティーカップを口に運んだ。

「よろしくお願いします」

「横川専務は〝ストーン〟のおぼえめでたいほうなので大丈夫とは思いますけれど、川瀬会長が序列にこだわるようだと問題ですから、よく話しておきますよ」

「わたしが、石川社長のおぼえめでたいなんてことは絶対にありません」

横川は、激しく首を振った。

塩野がにやにやしながら言った。

「ま、それはどっちでもいいけど、僕が横川専務を推してることだけは記憶にとどめておいてください。ひょっとすると、次期社長候補の本命なのかなあ」

「ひやかさないでください」

「だって、技術屋莫迦みたいな高木副社長が社長になれるわけがないし、いまさら産銀出身でもないでしょう」

大洋自動車の現・副社長は、高木と大久保の二人だが、大久保は川瀬会長と同じ産業銀行の出身である。

「専務、常務クラスに、横川さん以外、そんな光る存在はおらんじゃないですか。なんの功績もない〝ストーン〟みたいなのが社長になれるくらいだから、社長となると半分以上運ですけれど、少なくとも副社長までは僕が保証しますよ」

塩野は真顔でそんなことを言って、時計を確認してから、腰をあげた。

横川がドアのノブに手を触れかけたとき、背後から塩野が言った。

「あっ、そうそう、高原高望君のことで、専務にご報告しておくことがありました」

「…………」

「あと、五分いいですか」

「ええ、どうぞ」

二人は、またソファに戻って向かい合った。

「未亡人から遺産相続のリストとか、いろいろ資料が僕の手もとに届けられたんですが、一億円の生命保険に入ってますし、有価証券もかなり遺してます。それに鎌倉の家と土地もありますから、生活の心配はまったくないと思いますよ」

「相続税も大変だし、会社に一億三千万円も借金があるって聞いてますが……」

「相続税ぐらい、有価証券を処分すればなんとでもなりますよ。一億三千万円の借金は、保険金が入れば、あらかた返済できます」

「一億三千万円というのは事実なんですか」

「事実です」

「弔慰金、退職金についてはどう考えてるんですか」

「専務は、未亡人にウエットのようですが、征一君の言いぶんにももっともな点があるようですよ」

「わたしは、未亡人を啓発社製作所の監査役に付けたらどうか、と征一君に進言しておいたんですが……」

「そうなると月々の手当を高原家から未亡人に出すことになるわけですよねぇ」

横川が合点がいかぬと言いたげに首をひねったのを横眼でとらえながら、塩野は話をつづけた。

「つまり啓発社製作所は、高原家のものと征一君は考えてるわけです。この場合の高原家に、高望君の遺族は含まれてないんですなあ」

横川がなにか言おうとするのを塩野は手で制した。

「とにかく調停者の僕にまかせてくれませんか。横川専務ほどのかたが頭を痛める問題じゃないですよ。いや、横川副社長と申しあげなければいけませんかな。未亡人が専務を頼りにするのも筋ちがいなんですよ。この問題は忘れてください」

塩野はぴしゃりと言ってから、にたっと笑いかけた。

「それでよろしいでしょう」

ダメを押されて、横川はぎこちないうなずきかたをしたが、塩野にクギを刺されたことだけはたしかであった。

塩野は、その夜遅い時間に、横川の自宅へ電話をかけてきた。

「お寝みでした？」

「いや、起きてましたよ。まだ十一時じゃないですか」

「昼間は失礼しました。川瀬会長の話は、やっぱり僕の読み筋どおりでした。あれから二時間も話し込んじゃいましたよ。いろいろ言ってましたけど〝横川副社長〟間違いありません。保証しますよ。朗報ですから、今夜中にお伝えしておいたほうがいいと思いまして」

「恐れ入ります」

「ただし、六月の定時総会後になりますけどね」

「高木さんと大久保さんは留任ですか」

「ええ」

「あと一人は……」

「尾辻専務です」

「なるほど。技術屋、事務屋二人ずつでバランスを取るわけですか」

「ま、そんなところでしょう。それじゃ、これで失礼します」

「ありがとうございました」

電話が切れたあと、横川は電話機の前でしばらく立ち尽くしていた。


高原正子に、大洋自動車労連本部の事務局から二度目の呼び出しがかかったのは、塩野と横川が会った翌日のことだ。

正子が、指定された午後二時より五分前に労連本部に出向くと、受付に大洋自動車労連総務局長の片山が待っていた。

片山は、支援労組の代表者である塩野の代理として、鎌倉の高原家や戸塚の選挙事務所に出入りしていたので、もちろん正子は何度も顔を合わせていた。

齢は五十歳前後、痩せぎすでごま塩の頭髪を七、三に分けている。

メタルフレームの奥できれ長の眼を神経質そうにしばたかせながら、片山は正子に近づいてきた。

「こんにちは」

「まあ、片山さん。その節はお世話になりました」

「遠いところをご苦労さまです。お待ちしてました。お茶でも飲みながら話しましょう」

正子は怪訝そうに眉をひそめた。

「実は、会長は緊急な用事が出来《しゅったい》しまして、本日は関西のほうへ行っております。くれぐれもよろしくと申してました」

「そうですの」

正子は、はぐらかされたような気がして、釈然としなかった。それなら、日を改めるべきではないのか――。しかも、けさ九時に塩野の秘書から電話が入ったのだ。そのあとで大阪行が決まったのなら、取り消せる時間は充分あったように思える。

不在を承知で呼び出したと、とってとれないこともない。

正子は厭な予感がした。

片山がずんずん歩いて行くので、正子は急ぎ足であとからついて行った。二人は、浜松町駅前の貿易センタービルのティー・ルームに入った。

窓際の席に坐り、眼鏡を外して、おしぼりで顔を拭きながら、片山が言った。

「コーヒーでよろしいですか」

「ココアをいただきます」

「そうか。高望先生はコーヒーをやりませんでしたね。それで奥さんも……」

コーヒーとココアが運ばれてきたのに、まだ片山は用件を切り出さなかった。

「本日はどういうご用向きだったのでございますか」

正子に催促されて、片山は頰をさすりながら、気まずそうに話し始めた。

「申しにくいことですが、啓発社製作所から高望先生が借りている一億三千万円は、なるべく早く返済していただきたいのです。一億三千万円は元利合計の金額ですが、延滞すればするほど利息が増えてしまいます。どう考えても高望先生が個人的に会社から借りているカネとしか考えられません」

正子は、ふるえる手でコップをつかみ、口へ運んだ。水を喉へ流し込んでいくらか気持ちが落着いた。

「いま、おっしゃったことは、塩野会長のお言葉と解釈してよろしいのでしょうか」

「ええ。わたしは会長から申しつかったことをお伝えしているに過ぎません」

「一億三千万円の内容について、調査していただけたのでしょうか」

「そう思います」

正子がまた水を飲んだ。

「横川専務が啓発社製作所の監査役に就いてはどうかと、申されてくださいましたが、その点、塩野会長のご判断はいただけるんでしょうか」

「とくに聞いておりません。まず、借金を返済することが先決だと言ってました」

片山はひらきなおったのか、ごく事務的な口調でつづけた。

「弔慰金、退職金についても然りです。私見ですがこの点は、啓発社製作所の経営陣が判断すべき問題のように思います」

「塩野会長は、その点も調停してくださるということではなかったのですか」

「会長個人というより組織として対応しているとお考えいただいたほうがよろしいと思います」

「塩野会長は、個人的に調停に乗り出してくださったのではないのですか」

「塩野三郎個人ではないと思いますよ。労連会長として、われわれも含めて組織としてこの問題に対応してるんだと思います」

正子は残り少ないコップの水を飲んで、まっすぐ片山を凝視した。

「塩野会長は、弱者の味方だと言われましたが、征一さんの言いなりになっているとしか思えません。あなたがた組合は弱い者をいじめるためにあるんですか」

片山が激しくまばたきしながら、煙草を咥《くわ》えた。

煙草に火をつけて、口と鼻から吐き出した煙を眼で追いながら、片山が言った。

「奥さんが弱者かどうかは見方によるんでしょうが、われわれはニュートラルな立場で判断したつもりなんですがねぇ。とにかく借りたカネは借りたカネとして、まず返済すべきでしよう。それが筋だと思うんです。一億円の生命保険金が入るんだし、生活に困るわけでもないでしょう」

「それでは、まるで征一さんが言ってることと同じではありませんか。なにがニュートラルですか。なにが弱者の味方ですか」

正子は声をふるわせて、つづけた。

「征一さんも、塩野会長も、片山さんも信用できません。一億三千万円については、わたくしどもでも調査させていただきますが、どっちにしましても弔慰金をいただいてから返済するように致します」

ティー・ルームの客は正子たちを含めて四組しかいなかったが、こっちに視線が集まっていることに、正子は気づいてなかった。

「奥さん、お気持ちはわかりますが、そういう頑な態度をおとりになることは不利だと思うんです。もらえるものももらえなくなりますよ。ここは借金を返して、高原征一社長の心証をよくしておくことが大切なんじゃないですか。一日も早く問題を片づけるようご忠告します」

「組合の幹部から、このようなことを言われるなんて夢にも思いませんでした」

正子は、塩野を信用したことが口惜しかった。

片山と別れてすぐに、正子は大洋自動車本社に電話をかけた。

横川に面会して、相談に乗ってもらいたいと思ったのだが、横川は席を外していた。アポイントメントなしに押しかけるのも非常識なので、いったん帰宅し、もう一度、電話をかけると秘書の女性から、外出してきょうは戻らない、と告げられた。

さんざん考えたすえ、思い余って正子は夜十時過ぎに横川の家に電話をかけた。横川は在宅していた。

「夜分恐縮でございます」

「いや、ところでなにごとですか」

気のせいか、なにかよそよそしい。そうとるのは、こっちが卑屈になっているためかもしれない、と正子はわが胸に言いきかせながら、懸命に声を押し出した。

「本日、労連本部に呼ばれまして片山総務局長さんにお目にかかりました。一億三千万円の借金をすぐに返済するように言われましたが、専務さんは、塩野会長からなにかお聞きになっておりませんでしょうか」

五秒ほど返事がなかった。

「もしもし……」

「とくに聞いてませんねぇ。塩野会長におまかせしたんだから、わたしの出る幕はないですよ。塩野天皇を怒らせると、あとが怖いから……」

横川は冗談ともつかずに言って、口をつぐんだ。

「弔慰金について、なんらお話はございませんでした。それもいただけないかもしれません」

「まさか、そんなこともないでしょう。わたしの意のあるところは、征一氏にも塩野会長にも伝えてあります。立場上、これ以上は出しゃばれません。お察しください」

横川は明らかに迷惑そうだった。

正子は、横川に電話をかけたことを後悔した。

第八章　内容証明

1

梅雨が明けない鬱陶しい七月上旬のある日の午後、高原正子は、内容証明郵便物を受け取った。

差し出し人は、啓発社製作所代表取締役社長の村谷康男である。

通　知　書

拝啓　貴殿等益々ご清栄のこととお慶び申し上げます。

　さて、当社は、故高原高望氏に対し、昭和五六年一月三〇日現在において左記㈠の貸付金元本の合計金八四、八三三、〇〇〇円也及びこれに対する左記㈡の貸付金利息の合計金

三六、七一四、七四六円也並びに左記㈢の仮払金の合計金七、五〇〇、〇〇〇円也の総計金一二九、〇四七、七四六円也の返還請求債権を有しておりますが、故高原高望氏の相続人である貴殿等に対し、それぞれの相続分に応じ昭和五六年七月二〇日までに右金員の返還義務を履行されるよう本書をもって催告いたします。なお、昭和五六年一月三一日以降においても貸付金元本に対する利息の発生していること、並びに本書の催告期限の到来後においては仮払金に対しても遅延損害金が発生することを付言しておきます。

記

㈠ 貸付金元本の表示

1、昭和四九年一二月五日付　金二〇、〇〇〇、〇〇〇円
ただし、昭和五六年一月三〇日現在の残高元本は　金四、八三三、〇〇〇円
2、昭和五〇年三月一四日付　金二〇、〇〇〇、〇〇〇円
3、昭和五〇年五月二三日付　金二〇、〇〇〇、〇〇〇円
4、昭和五〇年一〇月三一日付　金二五、〇〇〇、〇〇〇円
5、昭和五五年五月二四日付　金一〇、〇〇〇、〇〇〇円
6、昭和五五年七月一七日付　金五、〇〇〇、〇〇〇円
(以上合計金八四、八三三、〇〇〇円也)

㈡ 貸付金利息の表示

1、当社第一八期分貸付金利息　金一、六一二、六四二円
2、同第一九期分　金七、〇二四、〇三〇円
3、同第二〇期分　金七、三二一、五〇三円
4、同第二一期分　金六、三六二、四七五円
5、同第二二期分　金五、五〇七、九一一円
6、同第二三期分　金五、五一八、〇一七円
7、昭和五五年九月一日から同五六年一月三〇日まで　金三、三六八、一六八円
（以上合計金三六、七一四、七四六円也）

㈢　仮払金

1、昭和五五年一〇月三〇日付　金五、〇〇〇、〇〇〇円
2、昭和五五年一二月五日付　金二、五〇〇、〇〇〇円
（以上合計金七、五〇〇、〇〇〇円也）

㈣　法定相続分

一、高原正子殿相続分　金六四、五二三、八七三円
二、高原佳子殿相続分　金三二、二六一、九三六円
三、高原　望殿相続分　金三二、二六一、九三六円

昭和五六年七月×日

通知人　株式会社啓発社製作所
代表取締役　村　谷　康　男

正子は、その夜、食事のあとで佳子に通知書を見せた。

望は、五月から日吉《ひよし》の慶大ラグビー部合宿所で合宿生活に入っていて、家にいなかった。

望は大学三年だが、入学以来のラグビー部員である。レギュラーポジションはまだ取れないが、父親譲りのがっしりした体型は、いかにもフォワード・タイプのラガーを思わせた。

望から合宿入りの話を持ち出されたとき、正子はつらい気持ちになった。

父親を失って寂しい思いをしている望が、ラグビーに打ち込もうとしていることは理解できるが、その思いは正子も佳子も同じだった。

しかし、正子は反対しなかった。反対すれば、息子にすがりつくようで、よけい哀れになるような気がしたのだ。

「ママ、これ、どういうことですか」

「大宝会の皆さんが心配して、いろいろ執り成してくださってる最中に、どうしてこんなことになったのかしら……」

村谷の判断とは思えない。征一が命じたのか、松野の発意かいずれかだろうが、塩野の調停を拒否したので、当然なにかあるとは思っていた。

弔慰金、退職金と絡めて新提案があるのではないか、と周囲の人たちに言われていたし、正子自身そんな予感がしないでもなかったが、征一側はあくまで借金の返済が先決との態度を変えていないことになる。

正子は、子供たちになにも話していなかった。二月四日に、征一に呼びつけられて、会社に出入りしないでほしい、と言われたことから、カナタイプの手紙のこと、そして塩野の調停までをかいつまんで話したつもりだが、それでも一時間では話し切れなかった。

「そんなひどいことになってたんですか」

佳子はきっとした顔で言った。

「征一さんの手紙はあとで読んでちょうだい。ずいぶん身勝手で一方的なことが書いてあるわ。死人に口なしみたいなことばかりです。ママには、あの人の神経が理解できません」

「そういえば、たしか二月四日でしたかしら、わたくしが帰ってきたとき、ママはピアノの前に立ってぼんやりしてましたでしょう。寒いのにスチームも入れずに……。わたくしが声をかけたら、ママはパパの書斎に閉じ籠ってしまって、しばらく出てきませんでしたね」

「きっと、ひとりになりたかったんでしょう」

「ママはひとりで泣いてらしたんでしょう」

佳子は涙ぐんだ。

正子も切ない気持ちになった。

「パパは、あのかたのことを兄弟とは思わないとよく言ってましたから、密葬と本葬に見えたときはほんとうにびっくりしましたけれど、わたくしは、ああやっぱり兄弟なんだなあって、少しホッとした気持ちになりました。でも、そう思ってはいけなかったんですね」

「世間体をとりつくろったんでしょう。あいつには敷居を跨がせてはならないってパパが言ってましたが、パパは征一さんの本性を見抜いてたのね。ママもあなたと同じでホッとした気持ちになった口ですけど、やっぱり甘かったわ」

「あのかたが、わたくしたちに意地悪するのはわかりますけれど、松野の叔父さまは、そんなかたではないと思いますが……」

「ママもそう思ってました。パパと征一さんとの間を取りもとうとしてたような人だから、まさかと思ったんですけど……。征一さんはパパが生きてたときから一貫してるわけで、仕方がないとあきらめもつきますが、松野さんは掌《てのひら》を返すように態度を変えたでしょう。伊勢さんや林さんがびっくりしてましたが、あの人はほんとうにゆるせないと思いますよ」

思い出すだにはらわたが煮えくり返る。

松野は、正子が会社に出入りする必然性はないと言い、高望は会社を私物化し過ぎたとも言った。あのときのしゃあしゃあとした、のっぺり顔を思い出すと胸が悪くなる。

その話をすると、佳子は顔を蒼白にして、口をつぐんでしまった。

「ほんとうは、松野さんが執り成してくれなければおかしいと思うの。いくら征一さんが怖くたって、妹の旦那さまでですからねぇ。あの人が普通の態度をとってさえくれれば、塩野会長が乗り出すまでもなかったんです……」

　正子は、カナタイプの手紙と内容証明付きの通知書がひろげてあるセンターテーブルの上を指差して、話をつづけた。

「その手紙を読むとわかりますが、征一さんは、塩野会長ときっと充分打ち合わせをしてたと思います。通じてなければ、あんな一方的な調停はできっこありませんよ。ママは莫迦だったんです。半ば疑いながらも弱者の味方だなんて言われて、塩野会長を信じる気持ちになっちゃったんです」

　正子は下唇を嚙んだ。歯ぎしりが出そうだった。

　もう一度通知書を手に取って黙読していた佳子が、顔をあげた。

「ここには弔慰金とか退職金のことはなにも書いてませんけれど、いただけるんでしょう」

「征一さんは手紙に五千万円から一億円が常識だと書いてきました」

「でしたら、その間を取れば七千五百万円になりますね」

「一億三千万円の借金というのも、ひどいのよ。ママには承服できません。横川さんも借金と弔慰金、退職金で相殺できるはずだと言ってくれました。まさか塩野会長がまず一億三千万円の借金を返済しなさい、などと言ってくるとは思いませんでしたよ」

　正子は、深い吐息をついた。

「それにしても、啓発社製作所はパパがつくり、パパが築きあげた会社だとばかり思ってましたのに、会社から遺族のわたくしたちがこのような内容証明を突きつけられるなんて、なんだかおかしいわ」

「パパは、会社の株を持つことをもっと真剣に考えるべきだったかもしれないわね。そのチャンスはあったかもしれないのに、この家を建てることを優先してしまったんです」

このことは、征一が手紙で指摘していた。

もっとも、高望と征一の間にどんなやりとりがあったのか、いまとなっては藪の中である。征一の言ってることを鵜呑みにするわけにはいかない。いや、まったく信用できないといったほうが当たっている。

正子は、征一の暗い顔を眼に浮かべて、ぞくっと身ぶるいした。

いつだったか、高望は「征一から額面の二十五倍をふっかけられた」と話していた。

「付け値にしてもひど過ぎる。あいつはそういうやつだよ。話にならん」

高望はいきまいていたが、ねばり強く交渉したら、活路はひらかれたのではあるまいか。

啓発社製作所の株が額面の二十五倍というのは、まさに付け値、言い値であって、たたき台と考えれば、十倍ぐらいのところで妥協できた可能性はある。

高望の保有株式は一七パーセントであった。マジョリティ（過半数）を確保するためには、三四パーセント積み増ししなければならないが、仮に額面の十倍とすれば一億七千万円の資金を要したことになる。

土地の購入資金と家の建築資金、それに銀行から借金すれば、なんとでもなったはずだ。

「こんなことを言っても仕方がないけれど、啓発社製作所の株を持つことにパパが一生懸命になっていたら、事態はもっと変っていたかもしれません。

茅野さんは給料を半分に減らされてしまったそうよ。伊勢さんは会社を辞めさせられました。林さんも、会社を辞めたいって言ってたわ。林さんのようなかたまで会社を辞めたくなるなんて、よくよくのことですよ。そういう話を聞くにつけママは胸が痛みます」

「…………」

「征一さんは、パパを憎んだように、パパの部下のかたたちを憎んでるんだわ。坊主憎けりゃ袈裟《けさ》までもって言いますけど、きっと征一さんはそういう心境なんでしょう」

「ママ、よしましょう。死んだ子の齢を数えるようなものではありませんか。だいいち、あの人が会社の株を手放す気になったかどうかわからないでしょう」

「そうねぇ。ほんとうにそうね」

正子は、佳子にたしなめられて、うつろな笑いを浮かべた。

「株の話で思いだしたんですけど、啓発社製作所は、六月の半額増資に続いて八月に三倍増資をするそうですよ。ママはとても応じられませんから失権株になるでしょう。いままでの一七パーセントはわずか三・八パーセントになってしまいます」

伏眼がちに正子がつづける。

「ほんとうはママの持株をゼロにしたいんじゃないかしら。いつでも買い取るという意味のことを間接的に伝えてきてます」

「ママは会社の株を手放すつもりなんですか」

「いいえ。そんなことをしたらパパに申し訳ないわ。でも額面の二十五倍で買い取っていただけるんなら考えようかな。いや、十倍でもいいかな」

自分の冗談で正子は初めて笑顔を見せた。

「十倍なら八千五百万円ですねぇ」

佳子は真顔で返した。

「おそらく買い取るときは額面プラス・アルファぐらいのところを主張するんじゃないかしら。啓発社製作所は無配に転落してしまう恐れがあるらしいんです……」

正子が、草部と林から聞いた話をすると、佳子はあきれ顔で言った。

「あの人にかかっては、どうしようもありませんのね。自由自在になんでもできるんですか」

「額面プラス・アルファなんて甘いかな。額面か額面割れとか言われるかもしれないわ。たとえ、ただの紙くずになっても、啓発社製作所の株だけは記念にとっておきましょう」

前後するが、啓発社製作所は、昭和五十七年八月期決算から、業績の悪化によって無配に転落する。

吐息まじりに正子が訊いた。

「望にも通知書のこと、話したほうがいいかしら」

「草部さんとも一度相談してみようかしら……。とにかく七月二十日までに返済するなんてできません」

この内容証明はとりあえず黙殺しよう、と正子は思った。

2

五ヵ月後の十二月上旬に、二通目の通知書が村谷名で正子宛に郵送されてきた。銀行口座を指定して、一億三千四百万七千七百四十六円を年内に払い込むよう催促してきたのである。

正子は、草部に紹介してもらった弁護士と相談して、三千万円を十二月二十八日付で銀行に振り込んだ。

そして、昭和五十七年二月×日付で、内容証明付きの催告書と通知書が別便で送られてきた。

催　告　書

拝啓　貴殿等益々ご清祥のこととお慶び申し上げます。
　さて、当社から貴殿等に対する昭和五六年七月六日付「通知書」と題する内容証明郵便に基づく合計金一二九、〇四七、七四六円也の返還請求並びに同年一二月三日付返還通知書について、貴殿等はその内容等を充分に検討され、同年一二月二八日金三、〇〇〇万円の返済をされました。当社といたしましては、右同日までの貸付金等の元利合計一三四、四四九、一六六円に対する一部返済として受領しましたが、残額及びそれに対する完済までの遅延損害金が現在もなお発生しております。つきましては、早急に本事案を解決致したく存じますので昭和五七年二月二八日までに当社左記口座まで一括返還下さるよう催告いたします。

敬具

通　知　書

拝啓　貴殿益々ご清栄のこととお慶び申し上げます。
　さて、当社は、貴殿に対し、昭和五五年一二月五日仮払した金二、五〇〇、〇〇〇円也の返還をかねてより請求しておりますが、本書をもって昭和五七年二月二八日までに右金員を左記口座まで返還下さるよう重ねて催告いたします。なお、催告期限を経過した場合には遅延損害金を付して支払われることを求めます。

敬具

二月下旬に高原正子、高原佳子、高原望の代理人である島田一郎弁護士名で、回答書を村谷康男に宛てて郵送した。もちろん内容証明付きである。

拝啓　愈々《いよいよ》御清栄の段慶賀いたします。

陳者　貴社より、元代表取締役故高原高望氏の遺族に対して御請求のありました右高原高望氏の借入金について、当職は遺族の高原正子殿より御相談を受け、資料にもとづき検討いたしました結果、左記のとおり返済すべき金額を回答申し上げます。

記

一　貴社請求のうち返済を否認する金額

㈠　昭和四四年五月六日付貸付金一〇〇万円、同四五年八月二八日付貸付金三〇〇万円、同年一二月五日付貸付金二〇〇万円

以上の貸付金は取引先会社の関係役職者の在宅資金援助として、高原社長個人の借用の形にして会社が便宜をはかったものであります。従って会社に於て処理すべきもの

で、遺族に請求されるのはいかがかと思われます。

(二) 昭和五五年一〇月三〇日付仮払金五〇〇万円、同年一二月五日付仮払金二五〇万円、同年同月同日付高原正子に対する仮払金一〇〇万円

以上の仮払金は例年夏と暮の年二回に役員賞与として支払われて来たものであり、返済すべきすじ合のものとは考えられません。

(三) 昭和五五年五月二四日付貸付金一、〇〇〇万円、同年七月一七日付貸付金五〇〇万円

右は高原たかもち後援会に貸付け、同後援会が受領したものであります。従いまして貴社と同後援会との間で処理されるべきものと思料されます。

二 返済を認める借入金

(一) 昭和四九年一二月五日付金二、〇〇〇万円、同五〇年三月一四日付金二、〇〇〇万円、同年五月二三日付金二、〇〇〇万円、同年一〇月三一日付金二、五〇〇万円

但し資料によると、昭和五二年八月一日以降、同五五年一二月一七日までに合計金一、九八六万七、〇〇〇円が返済されておりますので返済すべき元本残金は六、五一三万三、〇〇〇円となります。

(二) 右元本残金に対する昭和五六年七月七日（貴社より内容証明郵便で請求のあった日）以降、昭和五七年二月二八日まで、民法所定の年五分の遅延利息金二一一万四、

五一四円

尚御請求のあった昭和五六年七月六日以前の利息は否認いたします。理由は借用証に利息の定めも、返済期限の定めもなく、従って民法第四一二条第三項、同第四一九条、同第四〇四条の規定が適用されると思料されるからです。

以上のとおり、当方が返済を認める金額は、前記貸付金元本残金六、五一三万三、〇〇〇円と遅延利息金二一一万四、五一四円の合計金六、七二四万七、五一四円になりますが、昨年一二月二八日に内金として金三、〇〇〇万円を貴社に送金済みですので残金は三、七二四万七、五一四円になり、右金額は近日中に貴社に送金いたします。

最後に、資料によりますと、昭和五六年一〇月三〇日開催された貴社の株主総会において、故高原高望取締役社長に退職慰労金を贈呈すること、その金額、時期、方法については取締役会に一任する旨決議されておりますが、いまだに遺族に支払いがなされておりません。遺族に対して、支払いの督促だけして、支払うべきものを支払わないでは失礼ではないかと存じます。至急然るべく処理されるようお願いいたします。

敬具

3

啓発社製作所側も弁護士を立てて、借金の返済を迫って来た。

五十七年三月八日付で、啓発社製作所代表取締役社長村谷康男の代理人である小山茂弁護士名で「回答書及び催告書」が内容証明付きで郵送されてきたのである。

宛先は、高原正子、佳子、望の代理人、島田一郎弁護士だった。

拝啓　益々ご清祥の段お慶び申し上げます。
さて、当職は株式会社啓発社製作所の代理人として、昭和五七年二月×日付内容証明郵便（以下、回答書という）に次の通り回答すると共に故高原高望氏に対する貸付金等の合計金六八、四六七、七七九円（昭和五七年二月末日現在）及び高原正子氏に対する仮払金一〇〇万円の各返還請求の催告を致します。
一、当社が昭和五六年七月×日付「通知書」と題する内容証明郵便において明細を示して返還を請求したものは、昭和五六年一月三〇日現在の貸付金元本の残高八四、八三三、〇〇〇円、その未収利息三六、七一四、七四六円及び仮払金七五〇万円です。
このうち貸付金及び未収入金（未収利息）については、当社第二三期決算報告書にその内容が記載され、会社の代表取締役であった故高望氏はそのことを充分に承知しているもので、各会計年度ごとに明らかとされている正確なものです。

二、「回答書」においてその返済を否認するものは、次のとおりいずれも理由のないものであり当社として認めることのできないものです。

1　「回答書」一、㈠の三口の貸付金合計六〇〇万円は、いずれも故高望氏の借入申請書及び借用証が存在する通り、当社が故高望氏に貸付けたもので、その借入れ資金をどのように個人が使用するかは、関与する問題ではありません。そして、すでにこの貸付金合計六〇〇万円は故高望氏からその返済を受け終わっているもので、今になって「回答書」で返済を否認することは理由の通らないものであります。しかも当社の「通知書」で返還を請求している貸付金の対象にも入っていないものであります。

2　「回答書」一、㈢の貸付金合計一、五〇〇万円は、いずれも故高望氏が当社から借り入れ自己の用途に使用したもので、同人自身この一、五〇〇万円を会社から同人が借り入れることを求めた結果、会社が故高望氏に貸付けたことを充分に承知しており、また、この貸付のあった第二三期決算において会社からの貸付金として経理処理されていることを認諾しているものであります。従って、この一、五〇〇万円は、当社と高原たかもち後援会の問題ではなく高原正子氏をはじめとする遺族が当社に返済すべきものであります。

3　次に「回答書」二、(二)において当社の未収利息を否認しておりますが、株式会社における金銭消費貸借は当然のことながら有償となるものであり、しかも、会社がその役員に貸付けた金銭の利息については所得税基本通達三六―四九に規定されている通り「おおむね年一〇%の利率により評価する」ことになっているもので営利法人が無償でその役員に金銭を貸付けることはありえません。そして、故高望氏自ら、この貸付金に対する未収利息を会社が決算期ごとに計上する利率を会社が金融機関から借り入れているその借入金の利率により計算することを承認し、それに基づいて未収利息を「通知書」で明らかにした通り決算期ごとに計上しているものであります。

従って、「回答書」における利息の否認は、認めることのできないものであります。

4　「回答書」一、(二)の仮払金七五〇万円が役員賞与との主張は、昭和五六年一〇月三〇日定時株主総会における利益処分のとおり役員賞与は存在しないもので、従って役員賞与は支給されておりませんので認めることはできません。従って、故高望氏に仮払いしてある金七五〇万円は全額返還して頂くことになります。

同じことは、高原正子氏についても言えますので、仮払金一〇〇万円の返還を要求します。

三、以上のとおりですが、すでに二回にわたり一部弁済が行なわれておりますので、貸付金元本及び利息、仮払金及び遅延損害金の残高を次のとおり示します。

1、昭和五六年一二月二八日においては
貸付金元本の残高
金八四、八三三、〇〇〇円
貸付金利息
金四二、一一六、一六六円
仮払金
金七、五〇〇、〇〇〇円
仮払金の遅延損害金(但し、商事法定利率年六分、五六・七・二一〜一二・二八の間)
金一九八、四九三円
のところ、同日金三〇〇〇万円の返済があったのでこれを民法四九一条の規定により貸付金の一部内入金としてその利息に充当する処理をした。
よって、右の貸付金利息は
金一二、一一六、一六六円となった。

2、昭和五七年二月二七日においては
貸付金元本の残高
金八四、八三三、〇〇〇円
貸付金利息

仮払金　　　　　金一三、一〇八、五九五円
仮払金の遅延損害金　金七、五〇〇、〇〇〇円（五六・七・二一〜五七・二・二七）
　　　　　　　　金二七三、六九八円
のところ、同日金三七、二四七、五一四円が返済されたので、「回答書」の弁済充当の指定どおりこれを貸付金元本に三五、一三三、〇〇〇円、貸付金利息に二、一一四、五一四円を充当した。
よって、
　貸付金元本の残高
　　　　　　　　金四九、七〇〇、〇〇〇円
　貸付金利息
　　　　　　　　金一〇、九九四、〇八一円
　仮払金　　　　金七、五〇〇、〇〇〇円
　仮払金の遅延損害金
　　　　　　　　金二七三、六九八円
　合計　金六八、四六七、七七九円が、昭和五七年二月二七日現在の残高となっている。

3、また、高原正子に対する、昭和五五年一二月五日に仮払した金一〇〇万円については、同女宛の内容証明郵便に記載したとおり昭和五七年三月一日以降商事法定利率年六分の遅延損害金が発生することになりました。
以上のとおりですので、直ちに当社口座まで一括返還下さるよう重ねて催告いたします。

島田一郎弁護士から、小山茂弁護士に宛てて回答書が送付されたのは、三月三十日のことだ。

前略
啓発社製作所から故高原高望氏に対する貸付金ご請求の件、先生から督促のご連絡を戴きながら回答の遅れましたことをまずおわび申し上げます。
書面にて催告戴きました件については、高原側としてはこれ以上支払いに応ずることはできません。その理由は残された家族の今後の生活を考えますと、既にお支払いした金六、七二四万七、五一四円が支払いの限界だからであります。
遺族としては、すでに会社の実権もお渡しし、また、相当額のお支払いもしております。これ以上の追い打ちはご容赦願いたいと存じます。

先生からも会社の方々に、この程度で矛をおさめられるよう、ご説得方をお願いする次第です。

五月十一日付で、島田弁護士に宛てて小山弁護士から内容証明付きで「要請書」が郵送されてきた。

前略

故高原高望氏の相続人高原正子、高原佳子、高原望の代理人たる貴職との交渉に対する株式会社啓発社製作所の回答を次のとおり致します。

すでにご存知のとおり自動車関係の産業は輸出先との経済摩擦の影響を受け、従来と異なり極めて厳しい経営状況にあり、生き残るためには早急に合理化を実現する必要に迫られております。当社も、現在借入金約二十億円に加え、さらに設備資金を当面十五億円必要とし、すでに再度の増資により二億円を調達しましたが、不足金十三億円は銀行借入を計画しております。

当然のことながら借入金の増加に伴う金利負担、設備投資による減価償却費の増大等により、今後、当社の収益状況は従来よりも悪くなり減配、無配も予想されます。これが対策として、課長、部長、役員の給与等につき昇給停止、賞与の削減等々内部努力を実施しております。また、かつて社会のため働く者の味方として力説された故高望社長の遺志をつぐべく大勢の社員とその家族は会社の存続、維持発展のために、社中一丸となって内外厳しい経済環境の中で日夜涙ぐましい努力をいたしております。

当社が返済を請求している貸付金等は、故人となった高望社長が生前、会社から借用したものであり、その都度会社決算にも計上され、株主総会の承認を得ている周知の借入金等でありますので会社に返済して頂くのは当然のことであります。しかも、会社が設備資金を必要としている状況ですので早急に残金約六、九五〇万円は返済すべきものでありますす。また、この債務は、相続税法も故高望氏の債務として当然に控除しうるものでありま す。

それを故高望氏の遺族が返済されないことは当社として誠に理解に苦しむばかりでなく社会的にも個人的にも長い間信じてきた社員や株主を始め、ご支援下さっている取引先に対しても申し訳なく、このようなことは理由の如何を問わず断じて許されるべきことではありません。

この際、一日も早く借入金等を返済し、会社の維持、発展を願うのが後に残された者のとるべき良識ある道かと思います。

以上の次第ですので、何卒、事情ご賢察のうえ、至急ご返済を実行されるよう重ねて催告いたします。

4

五月下旬の土曜日の午後、高原正子は、伊勢夫婦の訪問を受けた。

伊勢は、昨年の秋に退院し、すっかり元気になっていた。隠居仕事に、横浜市の選挙管理委員会の委員をしているという。

伊勢夫婦は、仏間で線香をあげてから、リビングルームのソファで正子と向かい合った。

望は大学ラグビー部の合宿生活だし、佳子は外出していて、ひとりでぼんやりしてたところだったので、正子にとって来客はなによりうれしかった。

しかも伊勢のような明るい人間は、滅入りがちな気持ちに歯止めをかけ、なにかしら勇気を与えられたような思いがしてくるから、ありがたい存在だった。

「奥さん、退職金も慰労金もまだもらってないそうですねぇ」

伊勢は出し抜けにそんなことを言った。

「いただけないかもしれません。それどころか借金の催促で、内容証明がいくつも送りつけられて困っています」

「茅野さんに聞いた話ですけど、去年十月三十日の株主総会で高望社長に退職慰労金を出すことに決まっとったというじゃないですか。金額、時期、方法については取締役会に一任すると聞いたので、村谷さんに会いましたよ。おまえに関係ない言われたし、出過ぎてることは百も承知だが、見るに忍びないじゃないかと言うてやりました」

伊勢の隣で、治江はちんまり膝をそろえて坐っている。ひかえめで、およそしゃしゃり出るようなことはなかった。亭主の伊勢に質問されない限り、治江が口を挟むようなことはまず考えられない。

「借金は返済するのが当然だけど、高望社長が亡くなって一年半近くもなるのに、慰労金を出さないなんて無茶苦茶な話があるか、そんな話が世間に通用するとは思えんとも言ってやりましたが、やっこさん、なにを言われても馬耳東風を決め込んでます。ひらきなおってるというのか、やけくそか、よくわかりませんが、ありゃあ社長じゃないですな。ま、よくて工場長ってところですよ」

伊勢は饒舌だった。女房とは正反対で、しゃべらせておけばいつまでもしゃべっている。ただ、話術家というほどではないにしろ、伊勢の話はおもしろいし、厭味はなかった。

「村谷さんを責めるのはお気の毒だと思うんです。あのかたの立場では、ご自分の意見など言えないと思います」

「つまりサラリーマンってわけですな。やとわれマダムと言ってもいいか。しかし、それにしたって、主張すべきは主張すべきでしょう。自分の意見も言えないなんて莫迦な話はないですよ。わたしは高望社長にどれだけ意見を言ったり、つっかかったりしたかわかりませんぜ。それでも睾丸《きんたま》付いてるのかって訊きたいですよ」

「征一さんと高望は違いますわ」

「そうでしたね。征一氏は大会社の大経営者でしたな。中小企業の経営者とはわけが違いますかねぇ」

正子は苦笑した。征一と高望の性格の相違を言いたかったが、伊勢は勘違いしたようだ。もっとも、伊勢はそれを自ら訂正するようにつづけた。

「しかし、大経営者にしてはケツの穴が小さいっていうか、エキセントリックですなあ。なにか気に入らんことを言われたら、すぐにクビにしちゃうんですかねぇ。村谷さんはそれを恐れとるわけでしょう。

でも高望社長もけっこう恐かったですよ。わたしはクビを覚悟でものを申したこともあるが、心の底ではこの人とはいつでも分りあえると思ってましたからな。人前で、それこそ満座の中で高望社長から怒鳴りつけられて、赤っ恥かいたこともありますけどね」

「申し訳ございません。ほんとうにやんちゃなひとでしたわねぇ」

正子が頭を下げたので、伊勢は激しく右手を振った。

「やんちゃなんてことはありません。怒鳴るほうも怒鳴られるほうも、わだかまりがなくて、実にすっきりしてたんです」

「そんなふうにおっしゃっていただくだけでありがたいですわ。皆さんに優しくしていただいて、高望は幸せなひとでした」

正子が声を詰まらせたので、伊勢は当惑したように治江と顔を見合わせた。

「むこうは大会社の社長かもしれないが、なんたってこっちは天下の代議士ですからね。それが征一氏のしゃくのタネかもしれないが、どうしてあんなに張り合わなければいけなかったんですかねぇ。生きてるうちはそれでもいいが、亡くなってしまった人と張り合ったってしようがないじゃないですか」

「征一さんは、高望以上にわたくしが憎いんですよ」

「ああいう偉い人の気持ちは、われわれ凡人には理解できないが、結局、征一氏は、借金はあくまで取り立てるけれど、慰労金を出す意思はないみたいですね。茅野さんから聞いた話ですが、村谷さんがそんなふうに話してたそうです。初めはそうでもないらしくて、だからこそ株主総会で慰労金の支給を決めたんでしょうが、途中で気が変ったんですかねぇ」

伊勢はレモンティをひと口飲んで、ティカップを受け皿に戻して、話をつづけた。

「選挙に夢中になってるからに、経営のほうはおろそかになった。そんなものに慰労金を支給するいわれはないという論法です」

「お父さん、高望社長はあんな立派に会社を経営してたじゃありませんか」

治江がたまりかねたように、きっとした顔で口を挟んだ。

「むこうにはむこうの理屈があるんだな。高望社長が代議士などにならずに、啓発社製作所の経営に専念しておったら、会社の業績はもっともっとよくなってたはずだと言うわけよ」

「なにを言うんですか。高望社長が亡くなられてから、会社はがたがたになってしまったではありませんか。赤字なんてひどい状態にしといて、なんていうことを……」

治江は声をふるわせている。

正子は胸がいっぱいになった。治江は、永年、啓発社製作所に勤めていただけに、会社のゆくすえが心配でならないのだろうか。

それと、正子に対する征一の仕打ちの苛烈さを我慢ならないと思う気持ちもある——。

「株主は、征一氏一人と考えていいから、臨時株主総会か持ち回り株主総会か知らんが、そんなものを開いて、前回の決定を白紙に返したんだろう。とにかく征一氏に、退職慰労金を支給する気がなくなったことはたしかだよ」

伊勢が冗談ともつかずに、治江に返した。

「茅野さんの退職金は、どうなるんですかねぇ」

「あれは、いやがらせに過ぎんよ。気にすることはない。いくらなんでも、出すだろう」

正子は、二人のやりとりを黙って聞いているわけにはいかなくなった。

「茅野さんの退職金って、どういうことですか」

「茅野さんは、会社から奥さんが高望社長の借金を返さないうちは支給できないって言われたそうですよ」

「まあ……」

正子は絶句した。顔から血が引いていくのが自分でもわかった。

「奥さんが気にすることはないんです。征一氏のいやがらせですよ。会社は赤字でカネがないから、高望の借金を遺族が返済しない限り、茅野さんの退職金を出せないようなことを言ってるらしいんです。無い袖は振れないから、奥さんに借金の返済を急ぐように言いなさいってことでしょう」

「六千七百万円も返済したんですよ」

「それも聞いてます。ですから、気にすることはないんです」

伊勢が右隣りの治江のほうへ顔を向けた。

「おまえが余計なことを言うから……」

「ごめんなさい。そんなつもりじゃなかったんです」

治江が正子に向かって、ちょこっと頭を下げた。

茅野は、最近、取締役を退任させられ、嘱託扱いになったが、退職金がまだもらえなかった。

「茅野さんの退職金なんて、それこそニチベア社長の征一氏からみれば、ごみみたいなもんでしょう。しかも会社にとって功労者じゃないですか。茅野さんの退職金ぐらいすんなり出してやればいいんですよ。それを高望社長の借金とからめるなんて、どう解釈したらいいんですかねぇ。いやがらせにもほどがありますよ」

伊勢はさかんに首をひねっている。

「茅野さんの退職金まで征一さんがいちいち指図してるんでしょうか」

「まさか村谷さんの判断じゃないでしょう。それとも松野さんですかねぇ。どっちにしてもたいした人たちだ。徹底してますわ。高望社長にはとっても考えられないことです。同じ兄弟で、どうしてこんなに違うんですかねぇ」

「それにしても茅野さんの退職金のことは気になります」

正子が思い詰めたような口調で言った。

伊勢が切なそうに顔をしかめた。

「奥さんには関係ないですよ。ご自分が受けて然るべき慰労金だってもらってないじゃないですか。余計なことを言って、心配をかけちゃいまして、申し訳ありません」

伊勢は、ちらっと治江のほうへ眼を遣ってから、話をつづけた。

「ついでにもう一つ余計なことを言いますが、林君が会社を辞めるようなことを話してました。少し頑張るように言ってるんですけどねぇ。志願して倉庫係になったんですが、やっぱり居づらいというか、おもしろくないんじゃないですか。いまの啓発社製作所は、昔の啓発社製作所とは違うんです」

正子のつらい気持ちは募る一方だった。

第九章　民事訴訟

1

昭和五十六年七月五日付で、横浜地方裁判所民事部から「口頭弁論期日呼出、答弁書催告状」が送られてきたとき、高原正子は、そんな予感がないでもなかったから、周章狼狽《しゅうしょうろうばい》するようなことはなく、冷静に受けとめることができた。裁判所の呼出し状には「被告　高原正子殿」とある。

とうとう被告にされてしまった。なにも悪いことをした憶えはないのに——そんな乾いた感慨しか起こらなかったのが、われながら不思議だった。

原告は、株式会社啓発社製作所　代表取締役村谷康男である。被告は、正子、佳子、望の三人。

「原告から訴状が提出されました。口頭弁論期日は昭和五十七年八月二十四日午前十時と定められましたから、同期日に当裁判所民事第×号法廷に出頭してください。なお、訴状を送達しますから、八月十六日までに答弁書（正副二通）を提出してください」

と呼出し状に書かれてあった。日付以外は印刷である。

訴状をみると、

「貸付金等請求事件　訴訟物の価額　金五八、二〇〇、〇〇〇円　貼用印紙額　金二九八、六〇〇円」とあり、この中で「請求の趣旨」は次のように記されてあった。

一、被告高原正子は原告に対し、金三五、〇九七、〇四一円及び内金二四、八五〇、〇〇〇円に対する昭和五七年二月二八日から完済に至るまで年七分の割合、内金三、七五〇、〇〇〇円に対する昭和五六年七月二一日から完済に至るまで年六分の割合、内金一〇〇万円に対する昭和五七年三月一日から完済に至るまで年六分の割合による金員を支払え。

二、被告高原佳子は原告に対し、金一七、〇四八、五二〇円及び内金一二、四二五、〇〇〇円に対する昭和五七年二月二八日から完済に至るまで年七分の割合、内金一、八七五、〇〇〇円に対する昭和五六年七月二一日から完済に至るまで年六分の割合による金員を支払え。

三、被告高原望は原告に対し、金一七、〇四八、五二〇円及び内金一二、四二五、〇〇〇円に対する昭和五七年二月二八日から完済に至るまで年七分の割合、内金一、八七五、〇〇〇円に対する昭和五六年七月二一日から完済に至るまで年六分の割合による金員を支払え。
四、訴訟費用は被告らの負担とする。
との判決並びに仮執行宣言を求める。


「請求の趣旨」のあとに「請求の原因」がつづくが、内容証明付きの通知書や催告書で主張していたことを繰り返しているに過ぎない。

正子は、合宿所に電話をかけて、望に帰宅するように求めた。

すでに内容証明のことは話してあった。望がこのところひんぱんに帰って来るのは、そのことが心配だったからだ。

いつもラグビーの練習が終ってから夜八時過ぎに、オートバイで鎌倉へ駆けつけてくる。そして、十一時ごろには日吉の合宿所へ引きあげてゆく。

その夜も望は、オートバイでやって来た。

「ふーん。ついに裁判沙汰になっちゃったのか。まいったなあ」

望は、裁判所の呼出し状と訴状をためつすがめつしながら、吐息まじりに言った。

「こうなったら戦うしかないですね。僕もママと一緒に弁護士先生に会いますよ」

さすがは男の子だと正子はたのもしく思った。

だが、佳子はショックで食事も喉に通らなかった。

「わたくしの躰の中に、あのひとと同じ血が流れてると思うと、ほんとうに死にたくなるわ」

佳子のそのひとことは、正子を驚かせた。呼出し状と訴状を初めて手にしたときは、くるべきものがきた、という程度の感慨しか起こらなかったのに、佳子のたったひとことのつぶやきで、こうも胸が苦しくなるとは——。正子は眠れぬ夜を過し、なんど佳子の部屋の前まで行ったかわからなかった。

ドアの前に佇《たたず》んで、じっと耳を澄ましていると、息苦しさが募って思わずノブに手がいってしまう。この娘《こ》はそんな弱い娘《こ》ではないとわが胸に言い聞かせて自室に戻るのだが、しばらくすると、また不安が胸の中にひろがってくる。正子はまたベッドを脱け出すのだ。

あくる朝、佳子はいつものとおり英語学校へ出かけて行った。

正子は、思い余って大洋自動車の本社に電話をかけた。草部に相談しようと思ったのだ。

「こんなことで草部さんに電話をして、笑われるかもしれませんし、佳子に叱られるかもしれませんが……」

胸をどきどきさせながら、正子は昨夜のいきさつを草部に話した。

「佳子さんの気持ちはよくわかりますよ。たしかに死にたくなるほどショックを受けたことは事実でしょう。しかし、だからといって自殺するようなことはないと思いますよ。わたしには奥さんのほうが心配です」

「わたくしは大丈夫です。気持ちが張ってるんでしょうか。もう矢でも鉄砲でも持ってこいっていう心境ですのよ」

「それは心丈夫ですね。それなら安心です」

正子は、われながら強がりを言っていると思った。

カミソリなどを見たときに、ふーっと引き込まれそうな誘惑に駆られることがある。パパの処へ行きたい、と心の底で思い続けているようなところがあった。

「もしもし……」

草部に呼びかけられて、正子はわれに返った。

「はい」

「きょうは夜なんにもありませんから、帰りにお寄りしましょう。佳子さんに、わたしから話しますよ」

「ありがとうございます。助かりますわ」

「それじゃあ、八時頃になると思いますが……」

「お待ちしております」

佳子は夜七時前に帰宅した。正子はホッとした。娘の帰りをこんなに待ち遠しく思ったことはなかった。

「草部さんが、今晩お見えになるそうよ」

「草部の小父さまはママの参謀ですものね」

佳子は、正子が裁判のことで草部に相談すると思っているらしかった。

草部は、八時過ぎにあらわれた。

ひとしきり雑談したあとで、草部があらたまった口調で切り出した。

「佳子さん、お母さんが心配してましたが、征一氏と高望さんは、兄弟とはいっても人格も個性もまったく違うわけですから、気に病むことはないと思いますよ。

あなたや望君の体内に征一氏と同じ血液が流れてるなんてことはないですよ。というよりそんなふうに考えるべきではないと思います。同じ兄弟でも心の広い人もいれば狭い人もいる、心優しい人も、人を信じられない猜疑心の強い人もいます。兄弟は他人の始まり、といって片づけられるかどうかわからないが、生前、お父さんは、征一氏を兄弟とは考えてなかったんですから、佳子さんもそう考えたらいいですよ。深刻に悩むなんて莫迦莫迦しいんじゃないかなあ」

佳子が、正子のほうに視線を走らせて、小さな声で抗議した。

「ママったら、いやあねぇ」

「お母さんは、佳子さんが心配で昨夜は一睡もできなかったそうですよ」

「わたくしはママが心配でした。でも眠れないほどではありませんでしたけど」

佳子が初めて微笑をみせた。

「小父さま、わたくしのことを心配してわざわざお出でくださったんですか」

「うん、まあ、そうでもないんですけどね。ここのところちょっとお会いしてなかったから」

草部は顔を赭らめて口ごもった。

「お騒がせして申し訳ありません。でも、わたくしは大丈夫です。それよりママの力になってあげてください」

佳子は、草部に一礼して、正子をまっすぐとらえた。

「ママ、まだ始まったばかりじゃありませんか。苦しくなるのはこれからでしょう。いまから眠れないようでは先が思いやられます。わたくしも頑張りますけど、ママにはもっと頑張っていただきたいわ」

佳子は、ことさらに快活な声でつづけた。

「それから、ついでに申しあげますが同時通訳はあきらめることにしました。働くことにしたんです。木本の小父さまにお願いして、本橋フォーミングで週二回英会話の先生をやらせていただきます。それと横浜の英語学院でも週二回授業を担当することになりました」

「生徒から先生にかわるわけですか。佳子さんは英検一級だから、引く手あまたでしょう。

けっこうなことじゃないですか」

「これでも少しは悩んでますのよ。断腸の思いだなんていうと大袈裟になりますけど」

草部と佳子のやりとりを聞いていた正子は、眼がしらが熱くなった。

2

七月下旬に、債権者である啓発社製作所側の訴訟代理人弁護士から、横浜地裁に対して「不動産仮差押命令申請書」が提出された。横浜地裁はこの申請を相当と認め、八月二日付で扇ガ谷の宅地の仮差し押えを決定した。

八月二十四日に被告高原正子、佳子、望の訴訟代理人である島田一郎弁護士が、法律事務所の同僚弁護士との連名で「貸付金等請求事件」に関する「答弁書」を、横浜地裁に提出した。

記

第一、請求の趣旨に対する答弁

一、原告の被告らに対する請求をいずれも棄却する。
二、訴訟費用は被告の負担とする。
との判決並びに仮執行の宣言に対しては執行免脱の宣言を求める。

第二、請求の原因に対する答弁
一、第一項「当事者」についての主張事実は認める。
二、第二項「貸付金元本」1乃至《ないし》3記載の事実中
㈠訴外故高原高望が原告会社から、㈠昭和四九年一二月五日金二、〇〇〇万円、㈡昭和五〇年三月一四日金二、〇〇〇万円、㈢昭和五〇年五月二三日金二、〇〇〇万円、㈣昭和五〇年一〇月三一日金二、五〇〇〇万円を、弁済期の定めなく借り受けたこと、並びに同訴外人が一部返済したことは認める。

㈡その余の主張事実は否認する。
三、第三項「貸付金利息」1乃至3記載の事実中
㈠株式会社における金銭消費貸借契約が常に商法第五一三条に該当し、有償であるとの主張、及び貸付金の利息について、原告と故高望との間で、金融機関よりの借入金の利率により計算するとの合意がなされたとの主張事実はいずれも否認する。

㈡その余の主張事実はいずれも不知。
四、第二項「仮払金の返還請求権」1乃至3記載の事実中

(一) 訴外故高望が原告会社より昭和五五年一〇月三〇日金五〇〇〇万円、同年一二月五日金二五〇〇万円の支払を受けたことは争わない。

(二) 右七五〇〇万円の支払について、第二四期株主総会の承認手続を得なかったとの主張は不知。

(三) 被告らが不当利得として右金七五〇〇万円を原告会社に返還する義務があるとの主張は否認する。

その理由は追って準備書面により陳述する。

五、第三項1、2、記載の事実について

(一) 被告らが原告会社より昭和五六年七月六日付内容証明郵便により原告主張の金額の返還請求を受けたこと、及び相続税申告にあたって右原告から請求を受けた金額を債務として記載したことは認める。

(二) 被告らが原告会社主張の債務の存在を承諾したとの主張は否認する。

六、第四項1乃至3記載の事実について

(一) 被告らが原告会社に対し二回に亘り合計金六、七二四万七、五一四円を返済したことは認める。

(二) また債務が残っているとの原告主張は争う。

七、第五項「被告正子に対する仮払金の返還請求」1乃至3記載の事実について

㈠　被告正子が原告会社より昭和五五年一二月五日金一〇〇万円の支払を受けたこと、及び被告正子が原告会社より昭和五七年二月三日付内容証明郵便により右金一〇〇万円の返還請求を受けたことは認める。
㈡　右金一〇〇万円の支払について第二四期株主総会の承認手続を得なかったとの主張は不知。
㈢　被告正子が不当利得として右金一〇〇万円を原告会社に返還する義務があるとの主張は否認する。
　その理由は追って準備書面により陳述する。
八、第六項1乃至3記載の事実について
㈠　被告らの法定相続分についての主張は認める。
㈡　原告会社に返済すべき債務が残っているとの主張は否認する。
第三、被告の主張
　追って準備書面により陳述する。　以上

そして「準備書面」は九月二十一日に提出された。

記

一、仮払金についての被告の主張

㈠ 訴外故高原高望が、昭和五五年一〇月三〇日原告会社から支払を受けた金五〇〇万円は、期末役員賞与であり、又同年十二月五日同訴外人が支払を受けた金二五〇万円、及び被告高原正子が支払を受けた金一〇〇万円は暮の賞与である。

㈡ 原告会社の会計年度は毎年九月一日に始り、翌年の八月三一日に終る年一回の決算であるが、乙第一号証乃至乙第四号証からお判りの通り、原告会社は毎期相当額の利益をあげ、その大部分を任意積立金として積立てた残りを株主配当、役員賞与として分配していたのであって、故高望は毎年一〇月に会社から相当額の金額を期末賞与として受け取っていたのであった。

従って原告の主張する昭和五五年一〇月三〇日の金五〇〇万円は時期的に見て、昭和五五年度の利益金処分の役員賞与であり、この利益金処分を含む昭和五五年度の決算は株主総会において承認されている筈である。

㈢ 又原告会社では期末賞与のほかに、毎年盆と暮の年二回、役員に賞与を支給していたもので、昭和五五年一二月五日故高望が支払を受けた金二五〇万円、被告正子（当時原告会社の取締役）が支払を受けた金一〇〇万円は、いずれも恒例の暮の賞与である。この年二回の賞与については毎年恒例のことであり、役員報酬として当然株主総会の承認手続きを得ている筈である。

二、故高望の借入金の清算について

答弁書で述べた通り故高望の借入金については、被告らが二回に亘って支払った合計金六、七二四万七、五一四円によってすべて清算されており、その計算関係は次のとおりである。

(一)　答弁書でも述べた通り、被告らの認める故高望の借入金は(一)昭和四九年一二月五日の金二、〇〇〇万円、(二)昭和五〇年三月一四日の金二、〇〇〇万円、(三)昭和五〇年五月二三日の金二、〇〇〇万円、(四)昭和五〇年一〇月三一日の金二、五〇〇万円の合計金八、五〇〇万円であって、いずれも弁済期の定めも利息の定めもなく借り受けている。

(二)　右借入金に対して故高望は一部返済しており、被告らの主張する返済額は金一、九八六万七、〇〇〇円である。

従って被告らの主張する借入金残金は六、五一三万三、〇〇〇円である。

(三)　次に被告らは昭和五六年七月七日原告会社より内容証明郵便で返済の請求を受けたので、民法第四一二条第三項、同第四〇四条によって同日以降年五分の割合による遅延利息が発生し、昭和五七年二月二八日までの遅延利息は金二一一万四、五九一円となる｛(65,133,000×0.05)×365分の237｝

㈣　従って昭和五七年二月二八日現在の元金と遅延利息の合計は金六、七二四万七、五一四円となるところ、被告らは昭和五六年一二月二八日に金三、〇〇〇万円、昭和五七年二月二七日に金三、七二四万七、五一四円と合計金六、七二四万七、五一四円を返済した。

三、故高原高望は、昭和二九年、父征太郎が買い取ったプレスの町工場の設備を引き継ぎ、仲間二人と自動車部品のプレス工場を始め（会社組織にしたのは昭和三三年二月）従業員らの協力もあって、毎年一億円を越す税引後利益をあげる、任意積立金も一〇億円を越す、超優良会社に育てあげたのであるが、同人は昭和五六年一月三〇日不幸にして急死した。

所がこれ程会社の発展に貢献したのに、会社はいまだに故高望の退職慰労金を遺族に支払おうとせず、それどころか、内容証明郵便で再三に亘り、故高望の借入金のみならず、賞与として支払を受けたものまで仮払金と称してきびしく返済を迫り、遺族が金六、七二四万七、五一四円を返済したのに、これに満足せず、追い打ちをかけるように本訴請求に及ぶのは、故高原高望の遺族を遇するに冷たい仕打ち、と云わざるを得ない。

以　上

3

五十七年中に、原告側、被告側双方の準備書面による主張、反論が何回か繰り返された。

そして五十八年一月二十五日に、啓発社製作所取締役総務部長の三浦と経理部長の山下が、原告側証人として証言台に立ち、高原高望の遺族である高原正子、佳子、望の三人に対する、啓発社製作所の貸付金請求の正当性を主張した。

原告代理人である弁護士の、三浦に対する尋問と、三浦の証言は次のようなものであった。

原告代理人は、決算報告書や借用証などの資料を示して尋問した。

――これはあなたの字ですか。

「そうです」

――どういう資料からまとめたものですか。

「経理で保管している貸付金の台帳から、期別の利息を計算して写したものです」

――三〇〇万円が利息分として入金されていることは、知っているのですか。

「はい」

――その他に入金はあったのですか。

「高原高望社長が亡くなるまでこの通りでしたが、その後の事は分りません」

――高原高望氏に貸付金及び未収利息があり、その返済を遺族に頼んだことはありますか。

「亡くなった後、残高を請求したことはあります」

――これらの書類を知っていますか。

「はい」

――この写しを、被告高原正子氏に示したことがありますか。

「明細書を渡してあります」

――この書類は知っていますか。

「はい。上司の伊勢さんから、高原高望氏の衆議院の選挙の立ち上り資金として調達するように命じられたものです」

――伊勢さんは、どこの場所で資金を調達するように命じられたか言っていましたか。

「高原社長の自宅だそうです」

――銀行振り込み予定日として、昭和五五年五月二四日と同年六月一〇日となっていますが、この日振り込んだのは間違いありませんか。

「はい」

――そのうちの五〇〇万円が返済されたことは聞いていますか。

「はい。返済の一部として山下さん、伊勢さん、私がいる時受け取っています」

――残り五〇〇万円についてはどうなりましたか。

「後援会が一時借用しているというので、後援会から返済されると聞いていました」

――それらの金は、どういう形で出されたのですか。

「高原社長から〝用意しろ〟ということだったので仮払金として出したのですが、決算も近かったので貸付金としなければ処理に困るので、社長の了解を得て貸付金として処理しました」

――利率が年八・二パーセントだったものが、その後変動していますがどうしてですか。

「役員に対する貸付金は、従業員への貸付とは一般的に異なりますし、税法上からの問題もあるので、高原社長に聞き、そのように処理したのです」

――遺族の方に、会社に対しこれだけの借財があると話したことはあるのですか。

「あります」

――誰か仲に入って貰ったのですか。

「選対の塩野さんに入って貰いました」

――具体的なことを聞いていますか。

「直接は聞いていません」

――昭和五六年七月六日付の内容証明ですが、これは貸付金の残があるという内容のものですか。

「そうです」

すか。

――遺族の方が、これを負債として記載されたということを聞いたことがありますか。

「はい。相続財産のマイナスとして申告していると聞いています」

――これは、高原正子氏宛に内容証明郵便に書いたものを返して欲しい、と出したものですか。

「そうです」

――その後、三〇〇〇万円返済があったことは知っていますか。

「はい、知っています」

――これはどういうものか説明してください。

「昭和五六年八月三一日現在で、貸付残が八、四八三万三、〇〇〇円で利息が四、〇一八万〇、一一五円でしたが、一二月二八日の日に三、〇〇〇万円の返済があったのでこれを利息分の方に充当し、更に昭和五七年二月二七日の日に貸付金の方に三、五一三万三、〇〇〇円、利息の方に二一一万四、五一四円が返済されましたが、その残りは返済されていません」

――これは誰の字ですか。

「私です。本来、役員報酬の賞与は、益金が出た時点で決めるのですが、期の途中で益金が出るだろうという事で一応仮払いとして計上し、決算確定の時点でその差し引きを賞与として払っていました」

――具体的にはどういう方法で支払われていたのですか。

「一般従業員に支払われる賞与の月に、社長からこの位振り込んでくれと話しがあり、それだけ計上し、端数は当時、個人として銀行から借りていたものです。仮払いとして一旦計上し、役員報酬が決定された時点でその差額を支払いました」

――サインみたいなものがありますが、誰のものですか。

「高原社長のものです」

――これにはサインがありませんが、どうしてですか。

「決算の時、私の方で素案を作り社長に目を通してもらっています。サインがなくても、いずれにしても決算期に計上しています」

――利益金処分の中に役員賞与金として二、四〇〇万円とありますが、第二〇期ではこれだけ支払われているのですか。

「はい」

――この期は、役員賞与金が記載されていませんがどうしてですか。

「第二三期まで支払われていましたが、第二四期は増資したし、経営を進めていくなかで機械等の設備投資などしなければならないという事で、今後の見通しを考えた中で、役員賞与は見送ることになったのです」

――昭和五四年三月一日、高原正子氏が取締役に就任していますが何か事情があったのですか。

「高原社長が、昭和五三年度の政治家の所得番付で新聞紙上県下一〇位になったので、選挙にとって影響が大きいという事で高原社長の所得を奥さんに配分するため、取締役に就任し利益を分けたことがあります」

──高原高望氏の年間収入はどの位あったのですか。

「税込み五、二〇〇万円位でした」

──昭和五六年一〇月三〇日第二四期の定時総会が開かれたことは、間違いありませんか。

「はい」

──決算が承認されたのですか。

「はい」

──そこで、仮払いされたものは全て返して貰うことになったのですか。

「そうです」

被告訴訟代理人の島田弁護士が、被告準備書面で〝被告の相殺の主張について〟裁判所にアピールしたのは、五十八年九月二十一日のことだ。

記

一、昭和五七年九月二一日付被告準備書面で述べた通り、故高原高望は昭和五六年一月三〇日、原告会社の代表取締役社長在職中に急死した。

そして同年一〇月三〇日開催された原告会社の第二四期定時株主総会において、第五号議案に退任取締役に退職慰労金贈呈の件が上程され、故取締役社長高原高望に対し、当社の定める慣例、基準に従って、その相当額の範囲内で退職慰労金を贈呈することとし、その金額、時期及び方法については、取締役会に一任することで承認可決されたが、現在まで相続人である被告らにその支払いがなされていない。

二、そこで多くの企業が採用している役員の退職慰労金の算出基準に従って、故高原高望の退職慰労金を計算するとその額は次のとおりになる。

尚昭和五六年一〇月三〇日現在の原告会社の資本金の額は、二億五、六九二万八、五〇〇〇円である。

㈠　算出方式

役員の退職慰労金については、大多数の企業では役員の退任時の報酬月額を基礎額に、役員通算在任年数を乗じ、更にこれに係数を乗ずる算出方式がとられている。

係数には役員別に格差を定めた役員別係数と、役員一律に定めた定数係数の二種類があるが、役員別係数を採用する企業の方が多く、従ってその算出方式は次のとおりになる。

退任時最終報酬月額×役員通算在任年数×役員別係数

(二) 役位別係数

次に役位別係数には退任時の役位の係数を乗ずる最終役位係数と、歴任した役位別に、その役位における係数を乗ずるものと二種類があり、故高原高望は昭和三三年二月二四日設立以来代表取締役社長であったので前者に該当し、その平均係数は三・一五である。

(三) 退任時最終報酬月額、役員通算在任年数

故高原高望の死亡時における月額報酬は一二〇万円であり、又同人は会社設立以来一貫して代表取締役社長の職にあったのであるから、役員の通算在任年数は二三年になる。

(四) 計算

右各数字を前記算出方式にあてはめ計算すると、故高原高望の退職慰労金は金八、六九四四万円となる。

なお、大多数の企業は右算出方式に従って計算された退職慰労金を基本退職慰労金として、これになんらかの加算制度をもうけており、一番多くとられているのは功労加算制度で基本慰労金の二〇パーセント乃至三〇パーセントの功労加算が行なわれているのが実情であり、昭和五七年九月二一日準備書面第三項で述べた原告会社の業績

からすれば、故高原高望に対しては前記基本退職慰労金に、二〇パーセント乃至三〇パーセントの功労加算金が支払われて然るべきと思料するものである。
三、所で故高原高望の実兄で、原告会社の取締役でもあるニチベア株式会社の社長高原征一氏は、高望死亡後遺族である被告高原正子に宛てた書翰の中で、故高望の退職慰労金の額を、五、〇〇〇万円から一億円の間と予測しており、前記基本退職慰労金八、六九四万円は右高原征一氏の予測金額にまさに合致しており、被告らは法定相続分に応じて配偶者である被告正子はその二分の一（金四、三四七万円）を、子供である被告佳子、同望はそれぞれ各四分の一（各金二、一七三万五、〇〇〇円）を相続した。
よって仮に原告会社に対し被告らに故高望の借入金等の返還債務があるとすれば、その債務と、右相続した退職慰労金請求債権とを対等額において相殺するものである。

4

十一月上旬の某夜、島田弁護士が高原家に正子を訪ねてきた。

島田は五十一、二歳の柔和な顔立ちの男で、伏眼がちにもの静かに話をする。

「きょう裁判所に呼ばれて行ってまいりました。裁判所としてはそろそろ和解勧告をしたいということなんです」

「わたくしも、このままいつまでも裁判を続けるのはつろうございます。和解するとして条件はどういうことになりますか。慰労金との相殺は可能なんでしょうか」

「それが……」

島田は眼を伏せて、言いよどんでいたが、ぼそぼそした口調でつづけた。

「被告側があくまで退職慰労金を請求するようなら、一億円の保険金の返還請求を行うと原告側弁護士は示唆してます」

正子は、怪訝そうに島田を見つめた。

「保険料を会社、つまり啓発社製作所が保険会社に払っていた形跡があるんです」

それは事実だった。しかし、高望以外の役員も従業員も全員保険に加入しているはずであり、すべて会社が保険料を支払っていると正子は聞いていた。

「そのことを裁判で争うとなると、また大変なエネルギーを使わなければなりません」

「そうしますと、会社の訴えが認められることになりますね。つまり、わたくしたちは敗訴ということに……」

「考えかただと思います。原告は供託した担保の取り消しに応じ、即時抗告権を放棄することになるわけですから」

「いま、この場で結論を出さなければいけませんか」

「そんなことはありません。お子さんたちとよく相談してください」

島田が引き取ったあとで、正子は佳子の意見を聞いた。

「釈然としないのはもちろんですけど、一日も早くピリオドを打つべきだと思うの。ママはよくぞ頑張ったと思います。もういいじゃありませんか。これ以上裁判を続けたらママは病気になってしまいますよ」

「そんなことはないですよ。ママはまだまだ頑張れます」

正子は胸を張って強がってみせたが、心身ともに参っていることは、自分がいちばんよくわかっていた。

「残酷なことを言いますけど、ママ、この一年ほどの間に白髪が増えたでしょう。娘として、こんなつらいことはないわ。きつい顔になってきたのも気になります」

「佳子ったら、ずいぶん言いにくいことを言いますねぇ。ママの顔はそんなに険しく尖《とが》ってますか」

「険しく尖ってなんていませんけれど、ママの顔はもっと優しかったし、美しかったと思います」

「望にも相談してみようかしら」

「きっと望も、わたくしと同意見でしょう」

佳子が言ったとおり望も、裁判所の和解勧告に従うべきだという意見だった。

正子は、十一月二十四日午後三時に島田と共に横浜地裁に出頭した。

被告側は五十八年九月二十一日付準備書面記載の主張を撤回、裁判所から提示された和解条項は次のとおりであった。

一、被告らは故高原高望の原告に対する債務が金六、一八〇万円であることを認め、連帯して昭和五十八年十二月二十六日限り原告会社の取引銀行当座預金口座に振り込んで支払う。
二、原告は、被告らが前項の金員を支払ったときは、横浜地方裁判所昭和五十七年××不動産仮差押申請書を取り下げる。
三、被告らは、原告が前項記載の申請事件について供託した担保の取り消しに同意し、その取り消し決定に対する即時抗告権を放棄する。
四、原告は、その余の請求を放棄する。
五、原告と故高原高望及び被告らとの間には、本和解条項に定める以外、何らの債権、債務のないことを各相互に確認する。
六、訴訟費用は各自の負担とする。

第十章　一陽来復

1

高原正子は、昭和六十一年十月中旬に一通の郵便物を受け取った。差し出し人は、啓発社製作所代表取締役社長、三木俊男とある。

村谷は、一年前に退任した。というより高原征一に退任させられたというべきであろう。これによって、かつて高原高望の社長時代に経営陣に名前を連ねていた者は一人残らず、啓発社製作所から姿を消したことになる。

裁判所で、原告側証人として証言した取締役総務部長の三浦も退任させられた。

株主各位におかれましては、益々ご清栄のことと心よりお慶び申し上げます。

当社二九期（昭和六一年八月）決算につきましては、昨今の急激かつ大幅な円高の進行に伴う自動車業界の影響と、当社の従来からの体質改善に伴う損失処理により、業績予想は相当厳しい状況にあり、前期に引続き無配が予想されます。

詳細につきましては、追って株主総会においてご報告させて頂くことといたしまして、現時点における当社の現状と、今後の方針等について、以下ご説明させて頂きたいと思います。

すでに新聞、テレビ等においてご存知のように、円高問題の及ぼす影響は、一般輸出関連企業は勿論のこと、特に自動車関連の企業は、従来と異り、極めて厳しい環境下にあります。

即ち、大洋自動車におかれましても、生産台数の規制と昨今の円高、ならびに輸出規制対策として、海外での現地生産の増加、外製から内製化への切替、購入部品に対する大幅な原価低減の継続等が実施され、部品下請各社は従来にも増して仕事量の減少等に伴い、収益状況は予想以上に厳しくなりつつあります。

当社も、これに対応すべく諸施策を実施するとともに、常にメーカーの原点を忘れず、製造メーカーとしての基盤である品質、価額、納期の三原則に沿って、得意先である大洋自動車に信頼される企業とならなければいけないと考えております。

従来、当社が所有していた生産ラインは、サポートラインの投資不足から効率的に生かされておりませんでしたが、ここ二、三年の連続投資により、これらサポートラインは、充実強化されてまいりました。

今後も、急激な情勢の変化に対処するため、引続き工場の集約化と環境整備を積極的に実施し、生産設備に対し、原則二交替、必要に応じ三交替制を継続する等、生産の効率化を図る必要があります。

今更申し上げる迄もなく、企業として生き残る為には、中長期的な立場でものを考え、また基盤づくりを果して行くのが適切であり、唯一最良の道であります。

車輛業界からの仕事が減少する状況の中で、仕事量の増加を図って行くためには、時間的なずれも起こるでありましょうし、合理化のための投資等が行なわれる結果、引続き金利負担、および減価償却費負担等により、今後しばらく収益の状況は、厳しいものと判断いたします。

株主各位におかれましては、この点について充分ご理解を賜わりたくお願い申し上げます。

従いまして、今後の株式のご所有につきましては、従来からのご経緯、お立場等にこだわることなく、個人のご意向を優先してお考えの上、引続きご所有されるか、それともこの際適正な評価価額をもって、譲渡先を会社に一任されるか等のご判断を、ご自由にして頂きたく、念のため申し添える次第でございます。

当社は、企業としての立場から、合理化対策を図って行かなければなりませんが、株主各位の側から見ますれば、理由はともかく収益低下が続く企業への投資は、あまり歓迎したくないことと拝察いたします。

ご承知のように当社は、その生い立ち、歴史から見まして、株主各位が殆んど、全て当社の創業者高原征太郎氏、および元社長高原高望氏の縁故により、株主となられた方でございますので、このようなご配慮、お気遣いから、個人的な所有を引続きお願い申し上げるのは、いささか申し訳なく存じております。

勿論、株主各位が個人株主として、当社株式を所有頂きますことは、誠に有難いと存じております。

このような状況下にありますので、今後の資本充実に当りましては、原点に返って、その多くの負担を株式会社啓発社を中心にお願いすることとし、この点につきましては、基本的なご理解を頂戴いたしております。

今後の株式所有につきましては、以上の次第をお含みおき頂きたく、私共経営幹部として、率直に意向表明させて頂きますので、何卒ご理解、ご支援を賜わりたくお願い申し上げます。

以上

征一の底意は見え見えである。おためごかしにいろいろご託を並べているが、要するに正子が所有している啓発社製作所の株を召し上げたいだけのことなのだ。

十月現在における啓発社製作所の資本金は三億五千七百万円で、発行済み株式は七十一万四千株である。この内八八パーセントは啓発社が保有し、その他の株主は一二パーセントで、正子は全体の二パーセント強を持っているに過ぎない。

いわば、征一にしてみればコンマ以下の存在のはずなのに、正子が株主であること自体気になるとみえる。

あるいは征一にとってゆるしがたいことなのかもしれない。

〝適正な評価価額〟について具体案は示されていないが、額面プラスアルファ程度で、無配の株が五倍も十倍もするとは思えなかった。

もっとも、正子が株を手放せば、復配するつもりと勘繰って勘繰れないことはない。

この際、啓発社製作所ときれいさっぱり縁を切る、という在りかたもあろうが、誰がなんと言おうと亡夫が築きあげた会社なのだから、たとえ紙屑になっても、亡夫を偲ぶよすがとして株券を保有しておくべきだと正子は考えた。

子供たちも、株を手放すことには反対だった。

年が改まってすぐに、正子は啓発社製作所から増資払い込みの通知を受けたが、もちろん応じなかった。

一月末日の払い込み完了を以て、啓発社製作所の新資本金は四億六千万円となり、正子の保有株のパーセンテージは二パーセントを切り、一・八パーセントに低下した。

「いよいよ名実ともにコンマ以下になりそうよ」

正子は、笑いながら子供たちに報告した。

2

一月三十日は、高原高望の命日だが、草部はこの日夜九時を過ぎたころ、会社の帰りに高原家を訪問した。

七回忌の法要は、二十五日の日曜日に繰り上げて行われたので義理は済んでいたが、草部は月命日には必ず線香をあげに顔を出すようにしていた。

草部だけではない。伊勢も林も月命日の常連だった。

伊勢夫婦は昼間やってきた。林夫婦はいましがた帰ったばかりだ。

仏間の遺影に合掌したあとで、草部が言った。

「七回忌は、ずいぶんたくさんの人がお見えになりましたねぇ。高望さんもさぞ満足されたでしょう」

「ほんとうにありがたいことです。ホテル・グランドパレスの床屋さんまで来てくださったんです。どうぞ……」

正子は、草部に茶をすすめながら、つづけた。

「ご案内を差しあげたかたは七十人ほどですが、全員来てくださいました」

「六年経っても、高望さんの人気は衰えないんですねぇ。

それにしても、もう六年ですか。信じられないなぁ。ついきのうのことのような気がしますよ」

草部は感慨深げに茶をすすっていたが、ふと思い出したように訊いた。

「征一氏とはあれっきりですか」

「ええ」

正子がかすかに眉をひそめたが、草部は気づかなかった。

「七回忌に〝鳥一〟で食事をいただいているときに、征一氏のことがひとしきり話題になりましたが、ほとんどの人が裁判のことを知らないんですねぇ」

「………」

「ニチベアの新社長が、関係者に配った挨拶状のことを考えただけでも、征一氏という人物の精神構造がわかるような気がします。

あの日も、あんなみっともない挨拶状を配らせる征一氏の気が知れない、と誰かが言ってましたが、普通の人なら、そんな莫迦なことはやめてくれと止めますよ。ところが征一氏は逆で、すすんでやらせたんでしょうね。つまり、腹心でさえ信じてないんです。人を信じることのできない人なんですよ」

ニチベアは、一月十九日の臨時取締役会で、高原征一の社長退任と、後任の社長に専務の本宮三郎の就任を決定した。

高原征一は相談役に退き、ニチベアグループの流通サービス部門の育成に傾注するというが、グループにおける高原ワンマン体制が不変であることは、本宮の挨拶状を引くまでもなかった。

本宮が、ニチベアの取引先やマスコミ関係者に配った挨拶状は二万通に及んだという。

挨拶状の中で、本宮は自分の進退について、

①高原前社長が、ニチベアグループから退かれるときには、同時に退任させていただきます。

②高原前社長が本宮は社長職不適任と申されたら即日辞任します。

③高原前社長から本宮は社長職は不適任だが、専務常務に降格の上で新任務に就くようにとのご指示があれば直ちに新任務の達成に向けて命懸けで頑張る所存です——

と三つの信条をもって対処する旨、胸中を吐露している。

高原征一のためには水火も辞さぬと忠誠を誓ったつもりだろうが、本宮自らの発意によるものなのか、征一に書かされたのか詳《つまび》らかではないものの、この前代未聞の挨拶状によってニチベアグループが天下に、恥を晒したことだけはたしかと言えた。

進退に関する信条につづいて、本宮は次のように書いている。

今日まで当社の成長発展のため何人かの私の諸先輩・同僚各位が貢献されてまいられました。

同時にこの方達は、ニチベアの成長につれて自らが成長し得なかった方もおりますし、自分の実力以上に目立ちたがりやのかたもおりました。

このような時に対処した高原前社長の人事はまことに公正・峻烈・果断でありました。

このことがニチベアの若手中堅幹部、従業員諸君のやる気と活力を引き出し、いまや社外に誇れる結集力となり、今日の会社の発展をもたらしたものと信じます。

私はこの面では高原前社長以上に公正・峻烈な人事の運営を実行してまいる所存であります。

私は社内では自ら仏の本宮と申しておりますが、皆げらげら笑っております。

この社風を大事にしていきたいと心に期しています。

高原前社長は今日のニチベアを築くために、強大であった競争会社を始め日本の社会特有の陰湿な妨害に一身をもって攻撃的防禦を果たして来られました。日本の苛めの社会の構造は、ただ単に小・中学校だけにあるものではありません。

このようなプレッシャーに敢然と立ち向ってきたために、高原前社長は、過去一〇数年に三回もの開腹手術（大手術）を受けられました。

同時に、その都度新たな闘志を燃やし続けて来られました。

私も社長在任中に一度は開腹手術の機会に恵まれたいと念じております。

まことに浅学《せんがく》菲才《ひさい》ではありますが、何卒当社の成長発展、業績の一層の向上のためにご支援ご協力を切にお願い申しあげ、社長就任のご挨拶といたす次第であります。


草部が湯呑みをテーブルに戻して、話をつづけた。

「征一氏は、M&A（合併・買収）とかTOB（株式の公開買い取り）とかアメリカ的な経営を指向していますが、新任社長の挨拶状はまったくその逆なんですから、それこそげらげら笑いたくなりますよ。笑止千万です。

いや、広報から挨拶状を取り寄せて、読ませてもらいましたが、仏の本宮を自任して、皆んなにげらげら笑われているというくだりがあるんです。アメリカ的経営を指向しているにしては、涙が出るほど日本的な社長就任挨拶状だ、〝やっぱり変な会社だ〟なんて、週刊誌がからかってましたが、まったく同感です」

「新聞や雑誌でニチベアのことを、いろいろ書きますでしょう。黙殺すればよろしいのでしょうけれど、やっぱり気になりますから読みますが、そのたびに裁判のことなどを思い出して、厭な気持ちになります。

そう言えば三共精工の問題はどうなりましたか」

「ご存じのとおり一九パーセント近い株を取得して、ニチベアが三共精工の筆頭株主になりましたが、合併は無理なんじゃないですか。経営陣が頑強に合併を拒否してますし、メインバンクもその方向で支援してるようですから」

「三共精工の社長さんは、田畑さんとおっしゃいましたかしら……」

「ええ。たしか会長も社長も田畑といいましたね。兄弟でしょう」

「田畑さんに頑張っていただきたいわ。合併したら従業員が不幸だと思います」

正子は眼を畳の一点に据えて、思いつめた口調で言った。

三共精工は、オルゴール、制御機器、電子機器、情報機器などを製造、販売しているが、とくにオルゴールでは世界シェアの七五パーセントを占有するトップメーカーとして知られている。

ニチベアが、三共精工の株式を買い集めて、合併を迫っていることが新聞で報じられたのは、二年前、昭和六十年八月のことだ。

「三共精工は、株主の安定化工作によって、ニチベアの攻撃をかわし、買収される心配もなくなってきたと発表してますね。株価の高いときに一九パーセント近くも買って、相当な評価損が出てるんじゃないですか」

「三共精工の管理職以上の社員に手紙を出したり、損害賠償訴訟を起こしたり、いやらしいやりかたは、あの人らしいわ」

「例によって、カナ文字タイプの手紙なんでしょうか」

草部はまぜっかえすような言いかたをしたが、正子にはひとごととは思えなかった。

征一は、筆頭株主の立場で、三共精工の管理職社員二百五十人に、両社合併のメリットをアピールしたということだが、三共精工経営陣への不信感を煽るようなやりかたに、三共経営陣が不快感を表明するのは当然であった。

損害賠償訴訟とは、三共精工の経営陣がダミー会社を使って、百三十六万二千株の自社株を取得し、三億六千万円余の損害を与えたので、これに見合う損害額を支払え、と裁判所に訴えた事件を指している。

これが三共精工側からの内部告発にもとづくことは自明だが、誰かを手なずけてスパイに仕立てる陰湿さに、正子は鳥肌立つ思いがする。

「M&AとかTOBとか、アメリカ的経営がもてはやされてますが、アメリカでは行き過ぎた資本主義に対する反省なり、批判が出てるそうですよ。経営陣にしても、いつ自分の会社が仕掛けられるかわからないわけですから、うかうかできないとなれば、防衛のほうにエネルギーを取られがちで、本業のほうがおろそかになってしまいます。それと株式の上場を厭がる会社が出てくることも考えられますね」

「…………」

「もっとも人間なんて角度のいかんとか、どっち側から見るかによって評価が変ることはあるかもしれませんね。本宮氏からすれば、征一氏は神様に見えるんでしょう」

「あの人は、とにかく徹底してますよ。わたくしたち遺族に対する仕打ちにしても半端なものではありません。もし高望がニチベアの社長になっていたら、あんな大企業になっていたかどうか……。経営者としては、やはり凄い人なんでしょう」

「たしかに会社を大きくすることだけが経営者として立派だと考えるんなら、そのとおりかもしれません。しかし、人間としてはどうなんでしょう。征一氏と高望さんの生きかたは対照的ですが、どちらがより人の気持ちをつかんだか、人の気持ちを引きつけたかは、言うまでもないと思います」

「草部さん、あの人の話はやめましょう。不愉快な思いをするだけつまりませんもの」

正子がおどけた口調で言うと、草部は頭を掻きながら返した。

「ほんとうですね。どうしてこんな話になったのかなぁ。わたしとしたことが、申し訳ありません」

草部が時計を気にしながら、

「そろそろおいとまします」

と腰を浮かせかけたとき、佳子が紅茶を淹れて、仏間にやってきた。

「小父さま、今晩は。ようこそおいでくださいました」

佳子は畳に手を突いて、丁寧に挨拶した。

「望はまだ帰らないの」

正子が、佳子に訊いた。

「ええ。望君は、きっとデートで忙しいんじゃないかしら」

望が婚約中であることは、草部も聞いていた。というより二十五日の七回忌で、望自身がそれを発表したのである。

望は、四年前に大学を卒業し、総合電機メーカーに就職したが、大手出版社に勤務する女性編集者と婚約し、五月に結婚することになっていた。

「佳子、あなた自身のことは草部さんにお話ししなくてよろしいの」

「まだ発表の段階ではございません」

佳子は顔を赤らめて、軽く正子を睨んだ。

「どういうことですか。佳子さんも……」

草部が、正子と佳子にこもごも眼を遣ると、佳子は下を向いたが、正子はうれしさを隠さなかった。

「そうなんですの。やっと決まりました。ほんとうは七回忌の席でお話ししたかったんですが、この子はまだ結納をかわしてないからと申しまして……。きょう相手のかたとパパのお墓に報告に行ってまいりました」

「佳子さん、おめでとう。きょうはなにかいいことがあるような気がしてたんですが、まさかこんな朗報を聞かされるとは思いませんでした」

草部は、高望が佳子のゆくすえを案じていたことに思いをいたして、胸が熱くなるほど感激した。

佳子の見合い相手を本気で探したこともあった。

佳子は何度か見合いしたが、相手を気に入らなかったり、相手に気に入られなかったりで、まとまらなかった。

「相手のかたはサラリーマンですか」

「はい。家電メーカーに勤めてます。エンジニアです」

「東大出という点が唯一気にくわない点なんだそうですが、東大出らしからぬところが気に入ったようですよ。

東大出のかたはエリート意識みたいなものが強過ぎますでしょう。その点そんな感じがまったくありませんの」

先刻の深刻な顔が嘘のように、正子の声が弾んでいる。

「わたくしの実家のつてで十月にお見合いをしまして、相手のかたにもご両親にもすっかり気に入っていただけました」

「小父さま、近日中に二人でご挨拶に伺わせていただきます。よろしくお願いします。とくにわたくしがお嫁に行ってしまいますと、ママが一人になってしまいます。ママのことくれぐれもよろしくお願いします」

佳子が草部にもう一度挨拶して退室したあとで、正子がしみじみとした口調で言った。

「佳子は、結婚はあきらめてましたのよ。一生ママと仲良く暮らすつもりだとか、ママのめんどうをみてあげるなどと申しまして。

わたくしは、ひとりでのんびりとやりたいから、お願いだからお嫁に行ってちょうだい、と言いつづけてきました。今度の見合いも、いやいやしたんです」

「佳子さんはまだ三十じゃないですか。あきらめる齢ではありませんよ。相手のかたはいくつですか」

「三十四歳です」

「つりあいがとれてますねぇ。佳子さんが結婚すると、あなたが一人になるようなことを言ってましたが……」

「望のお嫁さんになる人は、やさしい娘で一緒に住んでもいいと言ってくれてますが、わたくしは一人でやるつもりです」

「この広い家に一人で住むんですか」

草部があたりを見回しながら訊いた。

「パパが亡くなったとき、せめて一年という気持ちでしたが、三回忌も頑張って、そして七回忌までもこの家でできるなんて夢にも思いませんでした。よく持ちこたえられたと思います。

でも、もう限界です。望も佳子も、結婚式は五月を予定してますが、それまで持ちこたえられればめっけものだと思ってます。もう手放しても、パパはゆるしてくれると思いますの」

こんどは、正子が部屋の中をゆっくりと見回した。

3

四月上旬の暖かい日曜日の午後、高原正子は伊勢家を訪問した。

相模《さがみ》鉄道いずみ野線の弥生台《やよいだい》駅から徒歩五分足らずの閑静な高台に、伊勢が新居を構えたのは、つい最近のことだ。

一階の和室で、緑茶を喫みながら伊勢が感慨深げに言った。

「この家は、高望社長に建ててもらったようなものです。こんな立派な家に住めるとは思いませんでした。土地が八十坪、建坪は四十坪ほどですが、わたしらには分不相応で、申し訳ないみたいな気持ちです」

「主人に建ててもらったようなものって、どういうことですか」

「話しとらんかったですか」

伊勢は、意外そうな顔で、治江のほうをうかがった。

「わたしも奥さんにはお話ししたとばっかり思ってましたが……」

「相鉄《そうてつ》いずみ野線の路線延長のこと、話してなかったですかねぇ」

伊勢は小首をかしげながら、湯呑みをテーブルに戻した。

「いいえ、なにもうかがってません」

「社長からなにも聞いてませんか」

「ええ」

「いずみ野線の路線延長が決定したのは、二年前の昭和六十年ですが、その数年前に高望社長が各方面に働きかけたんです。そのお陰で、路線延長が実現することになったんですよ」

高望が横浜市西区の相模鉄道本社を初めて訪問したのは、五十四年六月十一日午前十時のことだ。

前日の日曜日は、大洋自動車全寮対抗ソフトボール大会が、新子安《しんこやす》の大洋自動車総合グラウンドで行われたので、高望は朝八時二十分の開会式に顔を出し、午後三時過ぎまで観戦し帰宅したのは四時過ぎだったが、十一日は朝六時四十分に林に迎えに来させ、七時に大船駅東口の駅頭に立った。

高望は、この年の四月、五月は早朝の〝駅頭対話〟を見合せていたが、第八十七国会会期末の六月に入って再開し、四日は戸塚駅東口、五日は二俣川《ふたまたがわ》駅、六日は磯子《いそご》駅、七日は休んだが八日は三ツ境駅といずれも朝七時に駅頭に立って、国会報告等で選挙民に語りかけた。

十一日は、駅頭対話のあと、八時過ぎに出社し、茅野、伊勢たち啓発社製作所の役員と打ち合せを行ってから、約束の十時に相模鉄道本社に駆けつけた。

役員応接室で高望を迎えたのは、専務の山本で、一時間ほど話し合った。

「いずみ野線の路線延長については、地元住民が強く希望していることです。どなたも関心をお示しにならなかったが、わたくしは実現に向けて微力を尽くすことを選挙民に公約しました。与党も野党も関心を持たなかったのは、最初から実現不可能とあきらめてしまっているからだと思います。しかし、わたくしはそう考えません」

高望は気魄を込めた眼で、山本を見据えた。

山本は、視線を外して考える顔になったが、すぐに高望を見返した。

「せっかくの高原先生のお申し出ですから、慎重に検討させていただきますが、大変難しい問題であることは申すまでもないと存じます。不可能とは敢えて申しませんが、それに近いと思いますよ」

「人口が密集している泉区《いずみく》の中心街まで鉄道を延ばすことは、相鉄さんにとってもメリットをもたらすことにはなりませんか」

「事業として、採算ベースに乗るとは考えにくいですねぇ」

「短期的に考えればそのとおりでしょうが、長期的に見れば、必ず採算がとれると思うんです。鉄道を延長することの付加価値などのプラス面は計り知れないんじゃないでしょうか」

「土地の買収、立ち退きの問題、騒音などの公害問題も発生しますでしょう。私企業ベースでは手に余る問題がたくさんあるんです。それこそ国とか地方自治体に資金を負担していただいて、わたくしどもが営業面で協力させていただくような仕組みを考えませんと、実現は期し難いかもしれませんよ」

「相鉄さんのいずみ野線の延長に、国や自治体が資金を出すとは考えられませんが、わたくしは与党にも野党にも働きかけ、運輸大臣にも陳情して、この問題に超党派的に取り組む必要があるんじゃないかと思っております。それだけの価値があるんじゃないでしょうか」

「…………」

「二キロメートルほど延長してもらうだけでどれほど多くの人々が恩恵をこうむるか考えてみてください。鉄道事業というものは、もともと公益的な側面をもっているわけです。相鉄さんが本腰を入れて取り組むプロジェクトとして恰好のテーマだとわたくしは確信してます」

山本は、高望の熱意にたじたじとなった。

代議士先生の申し入れを無下に断わるわけにもいかないので、社長に代って面会を受けたが、話を聞きおく程度と考え、本気に取りあうつもりはなかった。

もっと言えば、高原代議士の狙いは政治献金にあるのではないかと勘繰らないでもなかったのである。

しかし、どうやら敵は本気らしい。

運輸大臣に陳情するの、超党派的に取り組むのと、迫力のある声でのたまわれて、山本は半ば辟易しながらも、胸にずしりと響いてくるような手応えを感じずにはいられなかった。

「一年や二年で、結論が出るような問題ではないかもしれませんが、運輸省の許可だけでも取りつけておいたほうがよろしいんじゃないですか。及ばずながら、お手伝いさせていただきますよ」

高望はさらに踏み込んできた。

「本日は、貴重なサジェッションをいただきまして、ありがとうございます。さっそく社長と相談し、役員会にも諮《はか》って、然るべく検討させていただきます」

「よろしくお願いします。ほんとうに、わたくしにできることでしたら、なんなりとおっしゃってください。きょうはお忙しいところを、お手間をとらせありがとうございました」

高望は丁寧に挨拶して、相模鉄道を辞去した。

院内で、運輸大臣に陳情したり、運輸省の高官に事情説明したり、高望は、いずみ野線路線延長問題に精力的な取り組みをみせ、ついに相模鉄道は運輸大臣の許可を取得することになるが、着工に至らないまま、高望は他界した。

「主人はどうして、いずみ野線の話をわたくしにしなかったんでしょう」

「きっと、計画倒れに終ると考えてたんじゃないですか。それとも、ただ話し忘れただけのことなんですかねぇ。

どっちにしても、高望社長があのとき頑張ってくれたからこそ、相鉄もその気になったんです。選挙公約を立派に実現したんですよ。

それにしても、路線延長のお陰で、わたしがいちばん恩恵にあずかったというわけです。わたしらがいままで住んでいた家が鉄道にぶつかるなんて、なんだか不思議なめぐり合わせですねぇ」

治江が茶を淹れ替えながら、口を挟んだ。

「この弥生台の団地は、相鉄が開発したのですが、だいぶ有利な条件で、ここの土地と交換してもらえたんです。わたしたち年寄りにはここのほうが静かで、ずうっと暮らしいいですよ。なんですか信じられないくらいついてました」

「わたしは高望社長を選挙に担ぎ出した張本人ですが、そのために無理をさせて命を縮めるようなことになって……。それで今度はこんな立派な家まで持てることができて、最後の最後まで、面倒を見てもろうてしまいました」

「せめてあと十年とは思いますけれど、選挙のために命を縮めたなんてことはありませんよ。伊勢さんにきっかけをつくっていただいたお陰で、代議士になれたんです。代議士になることは、きっと高望の夢だったんでしょう」

「奥さんに嘘でもそんなふうに言っていただけると、気持ちが楽になります」

「嘘ではありません。ほんとうの気持ちです。

ところで、いずみ野線の延長分はいつ開通するんですか」

「来年の夏ごろと聞いてますが、多少遅れるかもしれません。しかし、もう部分的に工事に入ってますから、路線が延びることは間違いないでしょう。わずか二キロメートルで、一駅先に延びるだけですが、泉区の人たちにとっては大変な福音ですよ。横浜がぐっと近くなりますからな」

「高望社長もよろこんでくださってるでしょうねぇ」

「うん」

治江に覗き込まれて、伊勢が満足そうにうなずいた。

子供たちの結婚といい、いずみ野線のことといい、伊勢の新居の完成といい、このところうれしい話がつづいている。

啓発社製作所の現況を思うにつけ、そして裁判のことを考えると、生きているのがつらくなるようなやりきれなさで一杯になるが、伊勢夫婦の話を聞いて、正子は気持ちがふっきれ、心が洗われたような気がした。

あすは、いずみ野線のことを高望の墓前に報告しよう、と正子は思った。

解説

中沢《なかざわ》 孝夫《たかお》
（福井県立大学経済学部教授）

「人間の器」ではなく「社長の器」がタイトルであることが微妙だ。問われていることが、人間としての器であるなら主人公の高原高望の魅力が圧倒的である。妻・正子との出合いとやりとり。そして優しさ。父親が買い取った田端の工場で、プレス工として指をつぶすようなことになったりする苦労。大学の卒業があやうくなるほど工場で働いた高望は、従業員と苦楽を共にした「叩き上げ」の経営者ともいえるのである。だから独身寮を建てるにしても従業員の気持ちを大切にする。

したがって、そういう高望を慕う人間が登場する。沖縄出身の伊勢繁がその一人である。高度成長期はどこでも人手が足りなかった。高望の啓発社製作所もそうだったが、伊勢繁はふるさとの沖縄から大量採用に成功した。また沖縄の施政権が日本に返還される前の琉球政府の主席選挙で家良朝苗の当選を手伝った。

その伊勢が高望に次のように言う。「社長は、こんな小さな池では器が小さ過ぎます。大洋のまん中で堂々と泳ぎ回る鯨とでも言ったらいいのか、とにかく啓発社製作所では舞台が狭過ぎます」「担いでもらいたがっている人はたくさんいますが、皆んなが担ぎたいと思う人がほんとうの政治家なんじゃないですか」と。

意思を固めた高望は、初陣の参議院選には敗れたが、再起を期した衆議院選で勝利し三期の当選を果たすまでになったのだから、伊勢の目は正しかったと言えよう。しかしそのこと
と、経営者としてどうであったのかは別である。

例えば、事実を語ることが、良い結果をもたらすとは必ずしも言えないということがあるのだが、高原高望が、手狭になった田端の工場から脱出し、借入金ゼロで、横浜市・戸塚に新工場を建てた時の竣工披露パーティで次のような演説をする。

「大洋自動車さんあっての部品メーカーですけれど、大洋自動車さんを押しあげ支えているのは、われわれ部品メーカーだと誇りたいとも思うんです」と。

このあと大洋自動車の横川購買部長らとの雑談のなかで、料理自慢のおばさんを七人社員として採用したこと。料理を作るのに、予算を立てずに無制限でつくらせること。そのような社員食堂で昼、夜食べても二千円であることなど従業員の待遇に関しても、一生懸命とりくんでいることなどを語る。

高望の演説に対して父親の征太郎が「おまえ、もっと謙虚でなければいかんな。部品メーカーが大洋自動車さんを支えているなんて、思いあがるにもほどがあるぞ」「だいたい、こんな贅沢な工場を建ておって、いったいなにを考えてるんだ。おまえにまかせるんじゃなか

った。独身寮ひとつ取っても立派過ぎる」「部品の値下げを要求されるのが落ちだぞ」と叱り、また立派な社員食堂の話などに、苦りきった顔で鋭い視線を向ける。

まったくなのである。主人公の姿勢は爽やかであり、従業員の方から見ると理想的なのだが、中小企業の経営者としては、どちらかといえば父親・征太郎のいい分が正しいといえよう。経営には夢や誇りが必要なのだが、ネットワーク型（下請け型）の中小企業の場合は、自分のやり方を語る時には周辺、特に取引先への細心の注意が伴わねばならない。関係者がどのように受け止め、理解するのかが大切なのであって、自分の考え方を一方的に披露するのは経営上危険なことである。企業は世間との関係の中で生かされているからだ。横川部長からさっそく「部品の値下げをお願いせないかんな」といった反応がかえってしまうのが現実だ。卑屈に謝る役割を引き受けたのは征太郎である。

あるいは高望の兄であり、いつも高望を貶め、「俺は痩せても枯れても親父の跡を継ぐようなことは考えていない」といっていた征一が、勤め先である関西紡績を辞めて跡取りとして戻ってきたとき「あの人は目的のためには手段を選ばないようなところがあります。しかし、血のかよった経営ができるんでしょうか」と語る高望に、父親は「にたっと頬をゆるめ」次のように言う。「経営者は非情なところがなければいかん。会社を守るためには、ときには首切りをやらねばならんこともある」と答える。

まったくそうなのである。征太郎がいうように経営は結果であり、「結果がよければすべてよしとしなければならんのだ」という見解はたしかに成り立つ。どれほど善意であろうと、会社が継続しなければ意味はない。よい結果がでれば手段も肯定される場合が多いものである。

「社長の器」をテーマとした本書が一貫して問いかけているのは、高原高望と父・征太郎、そして長男・高原征一との「確執」であり「ズレ」である。

長男の征一はエリートを鼻にかけた男であるが、次男である高望はそうした兄とは逆である。大学時代から父親が買い取った工場の現場で働き職工長が舌をまくほどの腕となった。従業員の信頼をかちとるもっとも手堅いやり方だ。

またその工場の以前の経営者の策略による工員の集団脱走があったとき、新しいプレス機を導入して、本格的に四輪車の部品生産に乗り出し、経営を急カーブに改善させた。資本は父親の征太郎が工面したとしても、高望の進言と決断があったからである。このときの設備投資なくして啓発社製作所の発展はなかった。

著者・高杉良の取材が徹底しているなと思うのは、このとき導入した新型のプレス機のトラブルのエピソードである。機械はいつもメーカーでも予測できないトラブルを起こすものだが、この場合も部品納入の遅れになり、発注転換（取引停止）の危機を迎える。町工場ではよくあることだ。この時は大洋自動車の購買担当の草部が堪忍袋の緒を切らず、内部を説得してくれたので乗り切ったが、こういうことも日頃の人間関係・人柄がものをいう。作者の目線は高望に優しい。

それに比して、兄・征一と大洋自動車の労組のドン・塩野三郎の描き方は辛辣である。ミネベアの社長・高橋高見をモデルにした征一の性格の悪さは、本書の読者にはすでに内容がわかっているのであえて引用しないが、読んでいて胸が悪くなるような手紙を出す人物である。代議士となった弟の力を利用しているくせに、弟を貶める嫉妬と陰湿な苛め好きな人物像である。

あるいは塩野三郎も同様だ。塩野は『労働貴族』や『破滅への疾走』の主人公として、大洋自動車（日産自動車）の危機を招来するほどの力をもった男である。日産ならぬ大洋自動車の重役陣も本書の中の横川専務に象徴されるように、その「人事権」の前でひれ伏してしまう。塩野に権力を持たせたのはむろん経営者だ。労組を経営権をめぐる権力闘争に巻き込んで利用し、こんどは利用される側になったのである。とはいえ私（中沢）が塩野にそれほど不快さを持たないのは、労組という世界で一つの権力機構をつくりあげたからである。それはまぎれもなくひとつの「力」であった。会社の「御用」しか勤めない今どきの労組のリーダーよりもずっと存在感があった。日産自動車が塩野ならぬ塩路一郎によって、どんどん会社がだめになったといわれるが、責任はあくまでも彼の権力を増大させた会社にある。

しかし塩野は嫌な奴である。高杉良は悪役を描くのがとてもうまい。よくこんなに嫌らしく書けると思うほど徹底している。それが実にリアルなので読者に「いるいる。こういう人いる」と膝を叩かせる。読者は彼らと大なり小なり似た人物を身近で重ね合わせるのである。

塩野は高望の急逝で窮地に陥った正子をいなしただけである。征一はこの時とばかりに徹底して意地悪と嫌がらせをする。高望の会社への貢献を認めず、莫大な貸付金の請求を行い裁判になる。

高望の失敗は、会社の「所有」と「経営」の分離を正確に行っていなかったところにある。どんぶり勘定で、政治資金や賞与を扱っていたのだ。また政治家と経営者という二足のわらじにも無理があった。挨拶回りで昼飯も食べられない時があった。病気になったのも過労がもとである。

葬儀に四千人もの参会者があったのはむろん高望の人柄と立場が故である。それは素晴らしい。

だがしかし、最初に戻る。「社長の器」としての高原高望はどうなるだろう。人間としての器は大きいが、経営者としては必ずしも立派とは言えないのである。五人、六人といった家族経営ならともかくとして、従業員が二百人を超えるほどになったら、役員報酬はいくらもらってもよいが、会社と自分の財布は別にしなければならない。征一につけこまれたのはそこである。征一の行動が人間としてどうであるのか、という目線とは別に、高望にも瑕疵があったといえよう。

このようにみてくると、「社長の器」として最も適していたのは征太郎だったのかも知れない。企業の基礎をつくり二人の後継者を育てたのは立派なのである。

人間とは、家族とは、経営とは……といったさまざまなことを読者に問いかける傑作である。

一九九二年二月　講談社文庫刊

光文社文庫

社《しや》長《ちよう》の器《うつわ》

著者 高《たか》杉《すぎ》 良《りよう》

2009年2月20日 初版1刷発行

発行者 駒井 稔
印刷 堀内印刷
製本 ナショナル製本

発行所 株式会社 光文社
〒112-8011 東京都文京区音羽1-16-6
電話 (03)5395-8149 編集部
8114 販売部
8125 業務部

ISBN978-4-334-74543-1 Printed in Japan

組版 萩原印刷

お願い　光文社文庫をお読みになって、いかがでございましたか。「読後の感想」を編集部あてに、ぜひお送りください。

このほか光文社文庫では、どんな本をお読みになりましたか。これから、どういう本をご希望ですか。

どの本も、誤植がないようつとめていますが、もしお気づきの点がございましたら、お教えください。ご職業、ご年齢などもお書きそえいただければ幸いです。当社の規定により本来の目的以外に使用せず、大切に扱わせていただきます。

光文社文庫編集部

光文社文庫　好評既刊